ISABE…
L'ITALIEN-SAVARD
présente

LES GRANDES MARÉES

de
Jacques Poulin

Parallèle | LEMÉAC

Collection dirigée par Roger Chamberland

Données de catalogage avant publication (Canada)

L'Italien-Savard, 1967-

Isabelle L'Italien-Savard présente Les Grandes Marées de Jacques Poulin

(Collection Parallèle)

ISBN 2-7609-6253-9

1. Poulin, Jacques, 1937- . Grandes marées. I. Titre. II. Titre : Grandes marées de Jacques Poulin. III. Collection : Collection Parallèle (Montréal, Québec).

PS8531.O82G73 2000 C843'.54 C00-941311-1
PS9531.O82G73 2000
PQ3919.2.P68G73 2000

Leméac Éditeur remercie le Conseil des arts du Canada de l'aide accordée à son programme de publication, ainsi que la SODEC pour son soutien à l'édition.

ISBN 2-7609-6253-9

1124, rue Marie-Anne Est, Montréal (Québec) H2J 2B7
Dépôt légal - Bibliothèque nationale du Québec, 3e trimestre 2000

Imprimé au Canada

RÉSUMÉ

Il était une fois une île déserte. « Le décor parfait pour être heureux », pensait le patron... Car il était aussi une fois un patron très riche qui voulait rendre les gens heureux. Sa « victime » sera Teddy, employé choisi pour son profil « socio-affectif », traducteur de bandes dessinées au sein du grand journal qu'il possède. Il lui prête son île, son charme, sa tranquillité, sa vaste maison du Nord, sa modeste maison du Sud... et son court de tennis au milieu (avec en prime un lanceur de balles automatique). En contrepartie, les seules tâches de Teddy consistent à veiller sur les lieux, à traduire des bandes dessinées, à s'occuper de son chat Matousalem... et à être heureux. Chaque samedi, le patron apporte des provisions, s'enquiert du degré de bonheur atteint par son protégé et repart avec les BD traduites. Homme d'action et d'initiative, le patron va même au-devant des désirs de compagnie de Teddy et de son chat. Un beau jour, l'hélicoptère dépose sur l'île une femme et une chatte. Chacune fait discrètement son nid et réussit à se faire aimer des premiers habitants de l'île. Jusque-là, c'est le paradis...

Puis, par un autre beau jour, un premier élément perturbateur pénètre dans le paradis : la femme du patron. Venue en visite impromptue avec son mari, Tête Heureuse (de son nom de code) décide de rester. Elle aime prodiguer des soins maternels aux habitants. Les dorloter, les nourrir, les toucher et, surtout, veiller à ce que Teddy ne manque de rien.

Mais justement, il semble toujours manquer quelque chose à Teddy qui n'a pas l'air heureux. Au rythme d'un débarquement par mois, de nouveaux arrivants seront donc appelés pour combler les besoins inavoués du candidat au bonheur. Sur le plan professionnel, Teddy peut échanger avec deux intellectuels ; sur le plan matériel, il peut compter sur l'Homme Ordinaire ; sur le plan psychosocial, l'Animateur s'occupe de sa « dynamique » et le père Gélisol vient, en dernier recours, tenter une thérapie de choc pour atteindre les zones vitales du patient. Cette microsociété disparate, créée au départ dans le seul but d'aider Teddy à trouver le bonheur, devient peu à peu autonome et s'organise même en marge de celui qui a servi de prétexte à son existence. De plus en plus isolé, Teddy finit même par être jugé indésirable. On convient de l'exclure de l'île et de l'abandonner aux grandes marées…

L'AUTEUR

Jacques Poulin écrit avec discipline, en les épurant, des livres grâce auxquels il souhaite toucher le cœur des gens. Il essaie d'abord de trouver une bonne histoire, ou simplement de bons personnages. Ensuite, il tente patiemment de traduire cet univers en mots simples qui décrivent le plus fidèlement possible la réalité. Il croit d'ailleurs que pour bien écrire, un auteur doit s'inspirer de ce qu'il connaît le mieux, de ce qui est près de lui... sans verser pour autant dans la littérature autobiographique. Car même si le héros de ses romans semble souvent rappeler l'auteur (par son âge, son goût de l'écriture), une distance suffisamment grande demeure et empêche que l'un ne soit happé par l'autre.

L'auteur est très discret sur sa vie personnelle ; il n'aime pas beaucoup parler de lui ni même de son œuvre. Il ne voit pas l'intérêt de faire de l'écrivain un être à part, puisque, pour lui, écrire des livres est un métier comme un autre, exigeant qu'on travaille sans relâche, avec application, avec honnêteté. Cet effort produit chaque jour environ une page qui, ajoutée à d'autres, finit par former un roman, qu'il reste ensuite à revoir et à corriger. Il n'y a à ses yeux rien d'héroïque ou de sacré dans ce travail !

Même si l'auteur évite les entrevues, se montre avare de commentaires sur sa vie privée, certains détails ont filtré qui aident à reconstituer des pans de sa biographie. De son enfance, peu de choses, sinon qu'il a vu le jour en 1937 dans la région de la Beauce, à Saint-Gédéon. Son père y a élevé une famille de sept enfants dans une relative aisance en tenant le magasin général du village. Jacques Poulin a fait des études en psychologie et en lettres, il a été assistant de recherche en psychologie à l'université, conseiller en orientation puis traducteur pour le compte de l'État avant de se consacrer définitivement à l'écriture. Depuis 1986, on l'a vu moins souvent errer dans le Vieux-Québec, son lieu de prédilection. Il s'est en effet installé à Paris, où il vit toujours. De 1967 jusqu'au tournant du siècle, son œuvre se compose de neuf romans dont plusieurs ont été couronnés de prix. La qualité et la force de son œuvre ont d'ailleurs été récompensées en 1995 par le prix Athanase-David, la plus haute distinction littéraire décernée par l'État québécois.

AU PAYS DES *GRANDES MARÉES*

GÉOGRAPHIE

Une île accueillante

À quelques kilomètres de la ville de Québec, chaque jour, a lieu un grand rendez-vous. Le fleuve Saint-Laurent, prenant sa source dans les Grands Lacs, lourd de tous ses affluents, se jette au cou de la mer, venue de l'Atlantique pour l'accueillir et le ramener à l'Océan. Cette étreinte entre deux géants se fait souvent avec fracas... le cap Tourmente peut en témoigner, lui qui tire sans doute son nom de la violence de la scène se déroulant à ses pieds. Éparpillés au milieu de ces effusions grandioses, les vingt et une îles et îlots qui forment l'archipel de l'Île-aux-Grues encaissent la force de la rencontre à coups de grandes marées. Né au cœur de la tourmente, l'archipel en a un peu le caractère : les abords de ses îles sont âpres et rocheux, truffés d'écueils. Les îlots perdus rendent la navigation particulièrement difficile à cet endroit du fleuve.

Première île de l'archipel, un peu en retrait du peloton familial, l'île Madame sait parfois recueillir les naufragés qui n'ont pu franchir cette étape périlleuse du fleuve. La preuve : au début du siècle, en 1912 ou 1913, après le naufrage du remorqueur *Spray* dans l'archipel, trois hommes s'y sont échoués et y sont restés quelques jours sans boire ni manger. C'est à la suite de cette mésaventure que celui qui était alors propriétaire de l'île, le major Edmond Laliberté, a fait construire une petite réserve sur la rive sud de l'île pour héberger d'éventuels naufragés. Une affiche, bien en vue sur la porte, les invitait à entrer et à se servir des vivres laissés là pour eux. Mais on dit que ce sont surtout des braconniers venus dégarnir les battures de l'île qui auraient profité de la générosité du propriétaire...

L'île Madame doit son nom à Samuel de Champlain, qui l'aurait baptisée ainsi en souvenir d'une île française du même nom à l'embouchure de la Charente, près de Brouage, sa patrie.

Ses habitants

L'île Madame prolonge la pointe sud-est de la grande et belle île d'Orléans, connue au Québec comme un joyau du patrimoine, souvent chantée par Félix Leclerc, l'un de ses plus célèbres habitants. L'île Madame est donc relativement proche de la ville de Québec, qui surplombe le fleuve à une trentaine de kilomètres en amont. Celui qui habite sur la rive nord du fleuve, à Sainte-Anne-de-Beaupré, apercevrait l'île... si elle n'était cachée par l'île d'Orléans. En réalité, il faut plutôt traverser le fleuve et s'arrêter à Berthier, sur la rive sud, pour voir l'île Madame se profiler le long de l'île d'Orléans, avec laquelle elle se confond à l'horizon. Tout juste à côté, se trouve l'île aux Ruaux, sa jumelle, à laquelle elle touche presque, à marée basse, par le banc de sable de sa pointe est. Si ces deux îles ont à peu près la même largeur, soit environ un kilomètre, l'île aux Ruaux, avec ses quatre kilomètres de longueur, fait presque le double de l'île Madame.

L'île Madame ne semble pas avoir été jamais habitée à l'année, du moins depuis sa première concession, en 1672. Au début de la colonie, plusieurs des îles de l'archipel appartenaient à de riches seigneurs qui les utilisaient comme pâturage ou terre de culture. Certaines, comme l'île aux Ruaux qui appartenait aux jésuites, étaient utilisées comme réserves pour le bois de chauffage. Comme beaucoup d'îles de l'archipel, l'île Madame a toujours appartenu à des particuliers. D'autres, comme la Grosse-Île, servent aujourd'hui de sites touristiques ou appartiennent à l'État. Depuis sa mise aux enchères, en 1845, l'île Madame a surtout été achetée, comme plusieurs de ses voisines, par de riches propriétaires soucieux d'avoir à proximité de Québec une retraite pour chasser l'oie en toute quiétude. Tour à tour, le juge Aylmer, la famille Laliberté (d'une célèbre maison de fourrures de Québec) et, jusqu'à tout récemment, monsieur Laurent Beaudoin, président-directeur général de la compagnie Bombardier, ont été les « patrons » de ce domaine, sans qu'on

> Le « patron » des *Grandes Marées* peut rappeler, par certains traits, l'homme d'affaires québécois Paul Desmarais, principal actionnaire de la compagnie Power Corporation, active dans le domaine des pâtes et papiers, des journaux.

puisse savoir s'ils furent aussi philanthropes que celui du roman.

L'île Madame se distingue des autres îles de l'archipel par sa forêt un peu surélevée qui trône en plein centre de l'île. Évidemment, les battures regorgent d'oiseaux et d'oies, à l'automne surtout. Les outardes et les canards noirs viennent y nicher en grand nombre aux côtés des pilets, des colverts et des sarcelles. Partie du Grand Nord, de la terre de Baffin plus précisément, cette faune ailée atterrit au tout début d'octobre pour se repaître de la scirpe d'Amérique (variété de jonc) qui foisonne sur les battures, avant de reprendre sa route vers le sud. De nos jours, on peut aussi ajouter à ces oiseaux sauvages le faisan et le grand dindon. Ils sont élevés en liberté sur l'île, qu'ils ne peuvent quitter, incapables de voler. L'île Madame est donc considérée comme un véritable « domaine » de chasse, d'autant que le propriétaire y a récemment fait construire une nouvelle maison, plus vaste et mieux protégée des regards que la précédente. Ces habitations sont situées sur la partie nord-ouest de l'île, qui fait face à la paroisse de Saint-François de l'île d'Orléans. Une piste d'atterrissage s'étend également de ce côté, car l'accès à l'île se fait généralement par voie aérienne, comme dans le roman. Si l'on vient de Montréal, comme le patron dans le roman, le voyage en hélicoptère prend environ une heure et demie... ou même trois heures s'il s'effectue dans un *Jet Ranger* !

HISTOIRE

Si l'on veut se plonger un peu dans l'époque des *Grandes Marées*, il faut assigner une date à l'histoire racontée dans le roman... ce qui semble difficile. Comme dans un conte, les personnages des *Grandes Marées* ne s'inquiètent pas beaucoup de l'air du temps. Leur histoire semble se dérouler en dehors du monde (ce qui est normal, quand on vit sur une île !). Pourtant, en se basant sur certains détails (le recours à telle marque de produits, par exemple) ou à certaines habitudes des personnages, on en vient rapidement à la supposition que le temps de la fiction coïncide avec celui de l'écriture. *Les Grandes Marées* paraît en 1978. Teddy Bear et ses amis sont créés un peu avant, sans doute entre 1974 et 1977 (le précédent roman de Poulin, *Faites de beaux rêves*, ayant paru en 1974).

D'ailleurs, le *Pouchkine* (bateau qui, au quinzième chapitre, est l'une des rares évocations d'un événement réel) naviguait sur le Saint-Laurent, pendant l'été, de 1970 à 1975. Vérification faite, la coïncidence des « grandes marées » avec quelques-unes des indications temporelles du roman pourrait même faire pencher pour l'année 1975. Cette date se confirme si l'on accepte de considérer le héros comme l'alter ego de l'auteur : Teddy a 38 ans et Poulin est né en 1937, ce qui nous mène bien en 1975. Mais sans s'arrêter à des repères historiques somme toute assez minces, on peut facilement associer le roman au milieu des années soixante-dix. Voilà pour la chronologie « interne », qui sert de fenêtre donnant sur une autre histoire, celle avec un grand H, qui se déroule, au même moment, hors de l'île Madame...

Pendant ce temps... au Québec

Au Québec, il règne un climat d'espoir et d'enthousiasme où on savoure, malgré une crise économique qui sévit à travers le monde, les réalisations de la Révolution tranquille. L'État finance de gros travaux comme la baie James et la construction d'autoroutes (travaux amorcés sous le gouvernement de Robert Bourassa). Le temps de la solidarité, commencé à la fin des années soixante, culmine dans la première moitié de la décennie soixante-dix avec des événements comme la grève illimitée des secteurs public et parapublic qui, en 1972, mobilise les travailleurs de trois centrales syndicales (la CSN, la CEQ, la FTQ), ou comme les protestations du Mouvement de libération des femmes (MLF) qui publie un manifeste en 1974, un an à peine avant l'Année internationale de la femme. Les Québécois se rassemblent aussi pour célébrer leur culture : la fierté linguistique et nationale se chante en plein air, à Québec, par exemple à la *Superfrancofête* (1974) et à la

Chantaoût (1975), premiers d'une série de grands spectacles musicaux. Sorti d'un isolement séculaire qui le tenait attaché à des valeurs traditionnelles, le Québec s'épanouit si bien qu'il prend goût aux événements à grand déploiement : les Jeux olympiques d'été de 1976 ont lieu à Montréal. C'est l'occasion de recevoir le monde entier avec magnificence, au risque de voir s'engouffrer les dollars dans un stade à toit ouvert... Mais surtout, le mouvement tranquille de libération atteint officiellement un sommet en novembre 1976, alors que le Parti québécois, né des plus beaux idéaux indépendantistes et porteur de la fierté nationale, accède enfin au pouvoir. Les nouveaux dirigeants emploieront leur premier mandat à valoriser l'appartenance nationale (loi 101 sur la prépondérance de la langue française) et à promouvoir des projets de loi visant l'équité et l'égalité (salaire minimum, droits des femmes, financement contrôlé des partis). Fort de ses réalisations, le Parti québécois demandera aux Québécois, lors d'un référendum en 1980, s'ils veulent s'engager dans la voie de l'indépendance. Le peuple refuse.

Pendant ce temps... aux États-Unis

Les troupes américaines reviennent du Viêtnam en 1975, après un conflit armé de plus de dix ans qui a coûté cher en vies humaines... et en orgueil national. Combien faudra-t-il de films pour exorciser, chez les Américains, le démon de cette tragédie ? Déjà affaiblie par la confiance et l'honneur perdus au Viêtnam, l'Amérique apprend que son président la trompe : Richard Nixon démissionne en 1974, sali par le scandale du Watergate. Les médias sont vraiment rois en cette fin de siècle ! Déjà, en 1960, la télévision avait joué un grand rôle, disait-on, dans l'élection de John F. Kennedy. À la décennie suivante, c'est au tour de la presse écrite de rappeler son pouvoir : deux

« petits » journalistes ébranlent un « grand » président !

Pendant ce temps… à l'échelle mondiale

À l'échelle mondiale, l'heure est à la crise. En 1973, les pays arabes se regroupent (OPEP) pour contester l'ingérence des pays occidentaux dans la guerre du Kippour au Proche-Orient : le prix du baril de pétrole brut quadruple en quelques mois. Ce premier choc pétrolier (un autre suivra en 1979-1980) donne le ton à une crise économique qui touchera le monde entier. D'autres facteurs comme la suppression de la convertibilité du dollar en or par les États-Unis ou l'augmentation du prix des matières premières par les pays producteurs (surtout en Afrique) contribuent à freiner la consommation et alimenter l'instabilité économique. La croissance retentissante des années soixante semble atteindre ses limites : on fait mine de rouler sur l'or... mais on manque d'essence !

Le Watergate est le nom donné au scandale politique au terme duquel le président Nixon, après avoir nié son implication dans le cambriolage d'un immeuble (le Watergate) abritant le siège de la campagne démocrate (parti rival du Parti républicain), est reconnu coupable de parjure et d'imposture à la suite des aveux de ses collaborateurs et de la publication d'enregistrements de conversations présidentielles. Toute l'affaire est mise au jour en 1974 par deux journalistes du *Washington Post* : Carl Bernstein et Bob Woodward.

SOCIÉTÉ

L'action des *Grandes Marées* se situe dans les années 1970. Si les références directes à une période ou à des événements historiques sont rares dans le roman, on voit par contre se dessiner, par moments, une peinture sociale assez fine de l'époque.

La décennie soixante-dix est tout entière imprégnée de l'ère de libération amorcée à la fin des années soixante. En fait, on passe des grandes idées et des beaux slogans à leur application dans la société réelle. D'abord créé chez nos voisins du sud, puis se propageant (par la musique entre autres) à tout l'Occident, le mouvement de contestation des années soixante qui secoue les vieilles valeurs et réclame un monde libre et pur atteint bientôt toutes les sphères de la société. La fin des années soixante marque l'explosion libératrice, mais les années soixante-dix encaissent le choc...

« L'union fait la force »

Dans la population, on redécouvre les vertus et les pouvoirs de la solidarité. Le salut de l'individu passe par le groupe. Les manifestations populaires, les groupes syndicaux font de nombreux adeptes. On s'unit pour revendiquer ses droits devant patrons, gouvernement et autres figures d'autorité. Chacun veut sa part de bonheur et la réclame en prenant appui sur la force du groupe. Les syndicats obtiendront ainsi pour les travailleurs des salaires qui permettent d'entrer ou de rester dans la course à la consommation, mais aussi des conditions de travail décentes. Car c'est un des effets de ce grand retour à des valeurs plus humaines que de ne plus envisager la main-d'œuvre seulement en termes de productivité ou de rendement : on s'inquiète également de la qualité de vie (le patron de l'île Madame a raison : un employé heureux travaille mieux !).

Le pouvoir des femmes

De même, les mouvements féministes ont transformé les rapports entre hommes et femmes. Ils revendiquent la reconnaissance de droits fondamentaux (égalité salariale, contraception, accès à l'emploi, révision des rôles familiaux, etc.) et chaque sphère sociale, du politique au privé, est ainsi revisitée à la lumière d'une vision nouvelle de la femme. Bien sûr, les années soixante avaient apporté une permissivité sexuelle qui déjà sortait la femme du carcan traditionnel et lui redonnait le contrôle de son corps (Tête Heureuse n'en est-elle pas un bel exemple ?). Mais au-delà de cette appropriation de leurs droits, les femmes provoquent, avec leurs luttes, des changements profonds, se situant au cœur même des rapports amoureux. C'est en égale que la femme s'engage dorénavant dans une relation amoureuse. Devant une telle levée des tabliers, l'homme n'a d'autre choix que de s'ajuster et d'écouter d'une oreille nouvelle les demandes de sa « moitié ». Et à force d'entendre vanter la supériorité des valeurs féminines, certains hommes vont jusqu'à « rosir » de jalousie et s'efforcent doucement de libérer la femme en eux. *Superman* devient plus tendre.

Les échos des grands changements de la révolution culturelle des années soixante se font sentir tout au long de la décennie suivante. Les valeurs humaines restent bien présentes, même si elles revêtent bientôt une apparence plus actuelle, à mesure que le siècle avance. Ainsi, la revendication bruyante des droits de la personne fait prendre conscience de l'importance d'un nouvel aspect de l'individu : le « moi », qui s'épanche alors dans l'intimité des psys... nouveaux docteurs de l'âme humaine. Le mieux-être de l'individu (qui tendra vers le culte à la fin de la décennie) est un idéal à atteindre partout, au travail, dans sa vie personnelle, voire sur une île déserte.

Sauvons la planète !

De façon plus marginale, les grands rassemblements, l'esprit de fraternité de la génération hippie font naître, fin des années soixante, début des années soixante-dix, un goût pour la vie grégaire. C'est la mode des communautés (appelées « communes ») où un groupe s'installe sur une terre et tente d'y vivre en mettant en commun les fruits du travail de chacun. Ce mode de vie, qui se pratique davantage chez les jeunes, cherche à recréer une mini-société idéale où sont prônées des valeurs négligées comme l'entraide et la générosité. Les adeptes de ce retour à la terre veulent contester l'abondance et l'impureté de la société de consommation, qui ont même dénaturé les campagnes (on ne parle plus de « paysan », mais de « producteur agricole » !). On cherche à recréer les conditions de vie les plus primitives (« On ne changera rien du tout », comme dirait Teddy Bear). Mais le désir de vivre en harmonie avec la nature n'est bientôt plus réservé aux seuls *gentlemen farmers*... Une nouvelle accusation est portée contre la société de consommation : ses excès entraînent des effets néfastes et dangereux sur la planète. Avec le mouvement écologique, on atteint peut-être les limites des grandes causes. Après avoir défendu les droits de tous les groupes sociaux, des Noirs, des femmes, on veut défendre les droits de la Terre, les droits des animaux. Portée par tous les autres mouvements de contestation qui la précèdent et l'engendrent, la lutte écologique en est l'apothéose : on ne peut trouver cause plus universelle et plus naturelle. Le mouvement prend donc naissance au début des années soixante-dix avec des groupes comme les Amis de la Terre en Angleterre (1971) et Greenpeace à Vancouver (1971) et gagne peu à peu la faveur du public, jusqu'à devenir parti politique (Parti vert en France), entre autres. Désormais, on sait la planète fragile. Préserver sa pureté, c'est aussi assurer la survie de l'espèce humaine. C'est dire que l'intérêt pour la santé de la

Terre s'accompagne d'un intérêt grandissant pour celle de ses habitants. C'est le début d'une ère pure et sportive.

La télé se fait des amis

Parallèlement à cette forme d'ascétisme qui favorise une communion avec la nature, la révolution technique amorcée dans les années soixante continue elle aussi sa course. Un premier microprocesseur voit le jour en 1971, ouvrant la porte à un monde dont, aujourd'hui encore, les avenues ne sont pas toutes explorées. Devant cette « invasion » technologique, l'individu se replie de plus en plus sur lui-même et son ouverture au monde se limite souvent à son écran de télévision. Inutile d'insister sur le rôle et le pouvoir de cet appareil sur la société du XXe siècle. Si la télévision a révolutionné l'accès à l'information et à la culture, elle inaugure, dans la décennie soixante-dix, l'ère du « cocooning », en s'associant à de nouvelles technologies qui, de concert avec elle, rapatrient les loisirs dans l'aire protégée du salon. Le premier jeu vidéo, ancêtre très archaïque des Nintendo d'aujourd'hui, sort sur le marché en 1972. Peu après, en 1975, le magnétoscope fait son apparition. C'est dire à quel point la télévision est devenue une nécessité, puisqu'on lui greffe d'autres systèmes. Cette omniprésence et ce pouvoir de la télévision s'observent, par exemple, dans l'univers du sport. Les Jeux olympiques de 1972, 1976 et 1980 sont télédiffusés dans toute leur durée, non seulement en différé, mais parfois aussi en direct. Les parties de hockey, de baseball, les matchs de tennis, tout est retransmis en entier, avec analyse et commentaires... Pas étonnant que les athlètes rejoignent les vedettes de cinéma sur les pages couvertures de magazines. Avec la télévision, tout devient spectacle.

L'UNIVERS DES *GRANDES MARÉES*

LES MARÉES : UN DRÔLE DE PHÉNOMÈNE

Comment fonctionnent les marées

Tout corps exerce une force d'attraction sur un autre, dit Newton dans sa théorie de la gravitation universellc. Cette force est proportionnelle à la masse et inversement proportionnelle à la distance. La Terre et surtout l'eau qui la recouvre en partie vont donc être attirées par la Lune, de même que par le Soleil, à un moindre degré cependant, car le Soleil, bien que très massif, est également très éloigné. C'est surtout la force de la Lune qui, tel un aimant, attire à elle les eaux du globe pour provoquer le phénomène des marées.

La Terre tourne autour d'elle-même en 24 heures et la Lune tourne autour de la Terre en 29.8 jours. Toutes lcs 24 heures 50 minutes, un point précis de la Terre se retrouve donc vis-à-vis de la Lune. Celle-ci attire alors les mers qu'elle surplombe : sous son regard, les eaux se lèvent ! La mer qui se retrouve le plus proche de la Lune connaîtra donc une marée haute. Paradoxalement, la mer sur la surface du globe opposée à la Lune sera elle aussi haute, n'étant pour ainsi dire plus « retenue » par l'attraction lunaire et donc davantage sensible à la force centrifuge de la Terre qui tend à la projeter à l'extérieur. Les eaux qui ne subissent que faiblement l'influence de l'une ou l'autre de ces forces sont alors dites « basses ». Généralement, deux fois par jour (lunaire), à un intervalle d'environ 12 heures, la mer monte et devient haute. Une première fois lorsqu'elle est près de la Lune ; une autre, lorsqu'elle en est le plus éloignée. Le reste du temps, elle reprend sa place et redescend.

MARÉE. [...] *Fig.* **V. Flot.** *Marée humaine. « la marée montante des jeunes »* (*Entreprise*, 11-3-1968). *Une marée de bonheur montait en lui* (MAUROIS). (*Le Nouveau Petit Robert.*)

Les grandes marées

La force du Soleil entre également en jeu deux fois par mois pour provoquer les grandes marées, qu'on appelle aussi marées de vive-eau, et les petites marées, ou marées de morte-eau. Lorsqu'ils se retrouvent alignés (par exemple à la pleine lune), la Lune et le Soleil cumulent leurs forces d'attraction pour tirer sur les eaux, créant ainsi les « grandes marées ». À l'inverse, quand ces deux astres se retrouvent à angle droit par rapport à la Terre, leurs forces s'affaiblissent en s'opposant, ce qui explique la faible amplitude des marées, qui sont alors appelées « petites marées ».

Dans certains endroits du globe, la configuration des côtes forme un goulot d'étranglement qui accentue le phénomène des marées, les rendant plus fortes. C'est le cas de la baie du Mont-Saint-Michel, au nord-ouest de la France, de la baie de Fundy en Nouvelle-Écosse, où les marées sont les plus hautes au monde. C'est aussi le cas du golfe Saint-Laurent.

Les marées : symbole du temps

Pour les navigateurs, les pêcheurs, les marins d'eau douce, qui savent souvent d'instinct lire le « temps » des marées, le mouvement de l'eau revêt une importance capitale, dont dépendent pêches, sorties en mer ou stratégies de navigation. Les tables des marées et des courants sont d'ailleurs publiées chaque année pour connaître en tout temps la hauteur des marées. Pour les peuples de l'eau, riverains ou insulaires, le mouvement des marées s'inscrit dans la vie même, discrètement, comme la vague qui sculpte patiemment le rocher. Le rythme régulier des marées ponctue la vie : le cycle de l'eau est une mesure du temps qui passe, scandant les jours et les mois. De plus, par la nature même de son mouvement, la marée, balancier géant, porte en elle deux élans contraires : elle monte, se gonfle, vient envahir les côtes et recouvre tout, puis se retire, s'éloigne, laissant la rive nue, offerte. Elle cache et découvre, inonde et assèche, donne et reprend.

Les cadeaux des vagues

Partie de l'océan, une vague roule sur elle-même dans un mouvement vertical qui va du fond à la surface, pendant parfois quatre jours, avant d'expirer sur la plage. Dans son voyage, elle entraîne des pierres délogées aux fonds marins, des organismes vivants, des coquillages, tout objet qu'elle rencontre et qui entre dans son remous. Les marées et leurs vagues charrient donc tout un monde qui vient s'échouer sur les berges. Les cadeaux des hautes marées, tels de belles moissons, sont attendus des oiseaux, des petits et grands mammifères dont l'habitat est en bordure de la mer. Lorsqu'elle se retire, la marée laisse derrière elle nourriture, abris minuscules, bois, souvenirs, trésors. Mais on peut aussi faire de sombres découvertes après une marée haute... des restes d'épaves, des cadavres viennent parfois s'échouer sur le rivage.

L'eau, source de vie, alimente une flore marine et côtière très riche. Les terres en bordure de mer, arrosées périodiquement par les marées, sont parmi les plus riches et les plus fertiles. À preuve, les environs de l'archipel de l'Île-aux-Grues, dont fait partie l'île Madame, deviennent chaque année le rendez-vous des oies blanches qui s'y arrêtent pour refaire leurs forces en se nourrissant de scirpes d'Amérique et d'autres herbes. L'abondance d'une telle flore à cet endroit peut s'expliquer par la salinité de l'eau. L'amplitude des marées y est aussi très forte. Celles-ci peuvent atteindre plus de sept mètres, soit parmi les plus hautes du Saint-Laurent.

La force des marées

La marée montante génère un mouvement de l'eau qu'on appelle courant de flot ou flux. Le mouvement inverse, qui suit la marée descendante, se nomme le jusant ou le reflux. Quant à l'étale de marée, il correspond au temps de repos entre deux marées, à l'immobilité d'une mer qui a fini de monter ou de descendre. Le déplacement de toute cette eau représente, il va sans dire, beaucoup de puissance : les marées sont énergie ! Il suffit de sentir sur son corps la pression des vagues pour s'en convaincre. Ces mêmes vagues, qui amusent les vacanciers, peuvent parfois devenir une force formidable... aidées des vents, des tempêtes, des secousses sismiques, elles se transforment en raz de marée ou en tsunamis. La force, la vitesse, l'amplitude des marées varient selon les conditions atmosphériques ou géographiques, mais les vagues sont toujours une réserve d'énergie considérable, qui peut à l'occasion devenir menace.

L'énergie de l'eau peut être utile, une fois convertie. Nos ancêtres l'avaient compris, qui construisaient dès le XIIe siècle, sur les rives d'un fleuve ou d'une rivière, des moulins dont les roues à aubes fonctionnaient par la force du courant. Plus près de nous, des usines hydroélectriques se servent de l'énergie marémotrice pour produire de l'électricité.

LES ÎLES : UN MONDE À PART

Le mythe de l'île

L'île est refuge, l'île est prison. Motte salutaire perdue dans l'océan, c'est la terre promise dont les navigateurs guettent les contours à l'horizon. Asile apaisant, domaine qu'on possède physiquement, parfois même en en faisant le tour à pied, l'île enclôt ses habitants. Ses limites protègent et enferment tout à la fois. C'est là tout son mystère, son envers et son endroit : on y est bien, comme au paradis, à l'abri du chaos de la civilisation, mais on y étouffe, contraint à l'absence de lien avec le monde, confiné au repli.

La mythologie grecque, née en partie dans les îles, sera la première à conférer à l'espace insulaire son pouvoir mystérieux. La géographie mythologique voit en l'île un lieu à part : monde de l'ailleurs isolé, à la frontière de la réalité. La fable antique choisit une île comme lieu de repos pour ses héros les plus valeureux. C'est en dire la valeur symbolique. Les îles Fortunées, situées en un lieu inconnu au bout du monde connu, abritent le paradis des dieux, quelquefois de mortels d'exception. L'île est donc un lieu sacré, un centre spirituel à atteindre, accessible aux seuls élus. Chez le héros antique, comme Ulysse, l'île représente aussi le refuge, une étape de ressourcement ou un temps d'arrêt qui ne vient qu'après l'épreuve chaotique des mers. Parfois, le héros a peine à en repartir, comme Ulysse, toujours, retenu par de belles insulaires, Circé ou Calypso. Le rapport métonymique est éloquent : l'île est une femme sensuelle, invitante, qui capture ses victimes. L'île peut être un lieu de réclusion volontaire ou imposée. C'est une prison magnifique, sans chaînes ni barreaux. Les passions adultères du grand Zeus se déroulent souvent sur des îles : Léto, rejetée par le dieu parce qu'elle est enceinte, erre à la recherche d'une terre d'accueil jusqu'à ce que Délos, île flottante, accepte de l'abriter ; Égine, encore, dont Zeus tombe amoureux, est kidnappée et gardée sur une île qui prendra d'ailleurs son nom. D'autres fois, ce sont des peuplades marginales que la légende confine aux îles, comme si l'insularité venait confirmer le caractère d'étrangeté ou d'élection de ces sociétés fermées, souvent féminines (on l'a dit, l'île est une femme) : les Sirènes, les Nymphes, les Hespérides. Enfin, la légende atteint le rêve avec son mythe le plus célèbre : l'Atlantide. Cette île immense, décrite par Platon, aurait entièrement été engloutie par les mers, sa civilisation sombrant avec elle, l'élevant dès lors au-delà des autres comme emblème de perfection et d'harmonie. L'Antiquité grecque a donc enveloppé ses îles d'une aura de mystère. On ne sait plus si elles ont existé ou non, si elles ont abrité des héros ou des monstres, si elles étaient Éden ou terre maudite.

L'aspect fantasmagorique donné à l'île dans la mythologie se retrouve aussi à la Renaissance, dans les tentatives des cosmographes pour représenter un espace dont on a peine à cerner les limites exactes. Au XVIe siècle, l'attrait pour le monde insulaire se traduit par l'apparition d'un genre cartographique propre aux îles : l'*isolario* ou insulaire. Dans ce type d'atlas, qui ne renferme que des îles, les cartes, bien qu'elles aient une apparence scientifique, présentent une description de l'île qui s'inspire des rumeurs et des légendes les plus répandues, illustrant le tout par un dessin évocateur, par exemple un château paradisiaque enclos dans des récifs meurtriers.

Robinson Crusoé

Au XVIIIe siècle, l'île vient hanter l'univers littéraire avec le fameux *Robinson Crusoé* de Daniel De Foe, paru en Angleterre en 1719. Le livre se présente sous la forme des mémoires de Robinson, naufragé qui raconte sa vie sur une île déserte, sa façon de s'adapter à la vie sauvage, à la solitude. La popularité du roman de De Foe est immédiate et s'explique sans doute par la coïncidence de sa thématique insulaire avec l'imaginaire de ce XVIIIe siècle à la recherche désespérée d'un bonheur qui soit terrestre. L'île perdue de Robinson Crusoé tombe à point dans l'Europe de cette époque, fascinée par l'exotisme des mondes nouveaux, déjà friande de relations de voyage et de tous ces livres-témoignages qui souvent idéalisent les peuples lointains, préservés de la civilisation. Référence obligée encore aujourd'hui, l'île de Robinson devient le modèle de toutes les îles inconnues : un lieu pur où il est possible d'ignorer les erreurs de la civilisation pour retrouver un état sauvage, garant du bonheur (ou d'un certain bonheur, puisqu'il y en a plusieurs à découvrir en ce Siècle des lumières qui le cherche partout).

ROBINSONNADE. n. f. - 1934 ; de *Robinson Crusoé,* personnage de D. De Foe DIDACT. Récit d'aventures, de vie loin de la civilisation, en utilisant les seules ressources de la nature. (*Le Nouveau Petit Robert.*)

Avec sa clôture sur elle-même qui la préserve des intrusions, des souillures externes, l'île incarne le lieu rêvé pour explorer le thème quasi biblique de la pureté originelle, sans péché ni penchant. Certains romans de ce siècle philosophique semblent se servir de l'espace insulaire comme d'une espèce de laboratoire où sont recréées *in vitro* les conditions de vie des « premiers » humains. Dans ce vase clos, on met par exemple en scène un enfant abandonné, pour s'interroger sur la capacité naturelle de l'homme à faire l'acquisition du langage ou de notions scientifiques. Si un homme et une femme se retrouvent seuls naufragés, l'auteur tente de montrer comment se forme une société « originelle ». Les plus audacieux, ainsi Sade avec son *Aline et Valcour*, feront voir d'autres facettes de l'innocence des sociétés insulaires, comme celle d'une sexualité « naturelle », exempte des tabous et des interdits que lui impose la civilisation. Plusieurs œuvres du XVIIIe siècle exaltent ainsi le mythe du bon sauvage ou prennent prétexte de l'insularité pour méditer sur les bases d'une société idéale. Dignes fils du *Robinson Crusoé* de Daniel De Foe, ces romans donnent de l'île l'image d'un monde parfait, intact, protégé par son isolement, et où l'innocence originelle peut être retrouvée.

Michel Tournier reprend l'histoire de *Robinson Crusoé* en 1967 dans un roman, *Vendredi ou les Limbes du Pacifique*, au titre évoquant bien la géographie fantastique du lieu.

Variantes insulaires

Au XIXe siècle, l'influence du courant romantique, qui aime le mystère, l'étrangeté, le fantastique, conduit l'île sur des sentiers plus inquiétants, où elle deviendra un décor sauvage, parfois inhospitalier, voire une prison. C'est alors un espace dont les personnages ne peuvent s'échapper, où celui qui veut fuir est condamné à tourner sur lui-même ou à explorer l'intérieur du lieu : ses grottes, ses cavernes, sa forêt impénétrable. Autant de portes qui s'ouvrent sur les secrets de l'île fantastique. On pense ici aux romans d'aventures comme *L'Île au trésor* de l'Écossais Stevenson ou *L'Île mystérieuse* de Jules Verne, livres portés à l'écran qui ont fait (et font sans doute encore) rêver des milliers de jeunes en lançant leurs héros à la découverte d'une île et de ses mondes cachés. Parce que cet espace est inhabité, inexploré, indompté... tout peut y arriver. On peut y vivre aussi les pires cauchemars, comme dans *L'Île du docteur Moreau*, roman de H. G. Wells, lui aussi porté à l'écran, où les expériences d'un savant sur des êtres vivants se révèlent horrifiantes. La clôture de l'île, qui oblige les habitants à une promiscuité étouffante, peut aussi donner lieu à une tension dramatique ou à un climat de soupçon qui font les délices du roman de suspense ou du roman policier. *Dix petits nègres* d'Agatha Christie en est un bon exemple.

Dans tous ces écrits qui ont l'île pour motif, on voit se dessiner l'empreinte de trois ingrédients auxquels semble se greffer l'essence même de l'œuvre d'inspiration insulaire : l'isolement, tantôt refuge, tantôt prison ; la nature, symbole antithétique de la civilisation, à la fois force sauvage à apprivoiser et principe de virginité ; enfin l'aventure, puisque ce monde, qu'on aborde par hasard ou après avoir échappé à un péril, est nouveau, inconnu.

Aujourd'hui, à l'heure des vues aériennes et des satellites, auncune île ne peut plus prétendre à l'anonymat... chaque parcelle du globe a été repérée sinon foulée par l'homme. Pourtant, l'ère des sciences exactes et des destinations touristiques n'a pu remplacer les images surannées mais toujours idylliques qu'on se fait presque malgré nous de l'île. Surtout quand on se l'imagine déserte. Il y a longtemps que le monde insulaire prend une valeur sacrée dans notre imaginaire, à l'abri des lois rigides de la réalité. Vieux rêve de paix et de solitude, l'île déserte fait encore partie de notre mythologie moderne : on se la représente comme un monticule perdu au milieu des vagues tout juste assez grand pour contenir un palmier auquel s'adosse un naufragé rêveur. On s'en sert aussi parfois comme d'un étalon, pour prendre la mesure de l'essentiel : avec qui voudrait-on vivre sur une île déserte ? quel livre amènerait-on sur une île déserte ? L'île déserte symbolise ici une sorte de lieu impossible, fictif. Un monde frontière où tout doit être ramené à l'essentiel, au vital. Même quand rien ne nous empêche plus, physiquement, de transporter quoi que ce soit sur une île déserte, on s'entête à la vouloir nue, dépouillée, aussi primitive que le paradis terrestre. C'est que l'île est le centre parfait, le point à partir duquel tout est possible.

La valeur salvatrice de l'île pour l'homme occidental prend tout son sens dans la mode romantique du XIXe siècle qui veut qu'on abandonne tout pour un aller simple dans les îles, version moderne et exotique du paradis terrestre. Les longs séjours du peintre Paul Gauguin à Tahiti ou aux îles Marquises à partir de 1890 s'inscrivent dans ce mouvement d'un retour aux valeurs naturelles et essentielles... l'artiste tend vers cette pureté primitive dans sa peinture.

VIVRE EN GROUPE

Petite histoire de la dynamique de groupe

C'est dans les années quarante que le mot « dynamique » sera pour la première fois accolé au terme « groupe », qui d'ailleurs aura plus tard beaucoup de mal à s'en défaire. Un chercheur en psychologie américain, Kurt Lewin, emprunte la notion de dynamique à la physique mécanique pour l'appliquer au groupe, où le concept nouveau fait voir l'aspect changeant d'une structure dont les parties (ici les membres d'un groupe) sont en interaction constante. Le changement d'une partie entraîne donc un changement chez toutes les autres. C'est d'ailleurs ce qui se produit dans *Les Grandes Marées*, où chaque nouvelle arrivée entraîne une reconfiguration du groupe, forçant chacun à redéfinir sa position dans la confrérie insulaire. La dynamique, qu'on peut considérer comme l'énergie qui soude les membres d'un groupe ou installe entre eux une interdépendance, se révèle particulièrement puissante dans les petits groupes, notamment dans une famille. Est-ce pour cela que Jacques Poulin l'a rebaptisée « dynamite » ?

Mais comme il arrive souvent, le mot a suivi une voie bien à lui et le terme « dynamique de groupe » s'est détaché de la théorie pour entrer dans la pratique. On l'a vu, les années soixante-dix croient au pouvoir du groupe, voient en lui une nouvelle façon, plus démocratique, plus globale, de traiter les conflits. On assiste donc, dans ces années, à un véritable engouement pour la « dynamique de groupe », nom dont on a rebaptisé, par analogie, ce qui aurait dû plutôt s'appeler « thérapie de groupe ». L'expression « dynamique de groupe » réunit donc une technique d'animation de groupe et le concept plus théorique qui lui a donné naissance, soit la notion de « dynamique » à l'intérieur d'un groupe. *Les Grandes Marées*, avec son Animateur qui descend sur l'île pour organiser des séances de « dynamite », représente bien cette mode des groupes de croissance qui, par divers exercices, favorisent la connaissance de soi, le partage de ses émotions profondes. L'essor fulgurant des groupes de rencontres a d'ailleurs un peu altéré certaines pratiques. Nombre de charlatans se sont instituées animateurs en utilisant parfois des méthodes peu orthodoxes. Une exploitation abusive du phénomène du groupe, une contrefaçon des techniques ont conduit certains sur la voie des sectes et transformé quelques leaders en gourous en mal de puissance.

Quelques caractéristiques du groupe

Pourquoi se joint-on à un groupe, pourquoi désire-t-on en faire partie ? C'est généralement parce qu'on partage le même but, le même objectif que les autres membres. Certes, chacun arrive avec son tempérament, ses attentes personnelles, mais pour vraiment faire partie du groupe, pour qu'il y ait « réunion », il faut une raison commune : apprentissage, musique, expression de ses émotions, peu importe. Bref, le partage d'un objectif commun est la première condition de l'existence d'un groupe. Le but poursuivi par les membres est parfois précis, affirmé (comme lorsqu'un groupe de travail est formé pour régler un problème), il est d'autres fois plus vague : quel est celui des participants à un groupe de croissance ? améliorer son existence, mieux vivre, mieux se connaître ?

À l'objectif commun s'ajoutent des objectifs individuels. Chacun désire satisfaire ses besoins personnels à l'intérieur du groupe : rencontrer des gens, vaincre sa timidité, créer des relations professionnelles ou même, sur un plan plus profond, être aimé, reconnu, s'exhiber, contrôler. Le groupe accepte bien les demandes de ses membre, pourvu qu'elles ne nuisent pas à l'objectif principal et qu'elles s'accordent avec lui. C'est lorsque l'équilibre est brisé, que les objectifs individuels entrent en conflit avec l'objectif collectif qu'il y a problème. Combien de groupes musicaux se sont défaits quand l'un des artistes a désiré faire une carrière solo ? Ce qui bien sûr ne saurait se concevoir au sein d'un groupe ! La même règle est à l'œuvre dans un roman comme *Les Grandes Marées*, où l'on peut se demander si les objectifs des individus sont toujours en accord avec ceux du groupe.

La foi en l'objectif commun détermine souvent la cohésion du groupe, la participation ou l'appartenance des membres. Si l'objectif change, évolue ou se transforme, le groupe doit lui aussi se redéfinir et le rôle de chacun être revu. À ce titre, il est intéressant de voir comment, dans *Les Grandes Marées*, l'objectif de la communauté insulaire se transforme peu à peu, à mesure que s'ajoutent des membres. Regroupés autour d'un but commun, les habitants de l'île Madame se découvrent ensemble d'autres intérêts que ce qui les avait au départ réunis.

Qui est « le groupe » ?

Le groupe est une entité autonome qui n'est pas égale à la somme de ses parties. Aussi peut-on parler du comportement de groupe ou de phénomènes, d'attitudes qui n'apparaissent que dans le groupe. Les membres d'un même groupe peuvent avoir, chacun pris isolément, un tempérament tout à fait calme et pacifique mais devenir, une fois réunis, un groupe combatif, agressif, voire violent.

Le groupe en soi peut apparaître, aux yeux des membres, investi d'une certaine apparence ou d'attentes, tout comme le serait une personne. L'idée même de regroupement fait miroiter des images d'union fraternelle, de solidarité et d'entraide. Se profile ainsi le phantasme d'une microsociété idéale qui effectuerait, sur une échelle réduite, un partage juste et naturel des rôles sociaux. Le groupe devient ainsi une projection symbolique que chaque membre construit comme un absolu, qu'il nourrit de ses désirs refoulés de fusion et d'harmonie. La volonté d'unité des membres se reflète dans le degré de cohésion. En tant qu'entité, le groupe impose ses normes, ses règles tacites auxquelles les membres choisissent de se conformer ou non. Se pose ici toute la question de l'individualité, de la liberté accordée par le groupe. Quand la cohésion est particulièrement forte, tout comportement en marge de la majorité sera perçu comme une déviance, parfois comme un affront. Certains groupes tolèrent la différence, d'autres la dénigrent. Le bouc émissaire existe pour cette raison. Pour mettre à l'épreuve sa cohésion, un groupe a souvent besoin de lutter contre une image qu'il juge contraire à la sienne, qu'elle s'incarne dans un membre ou qu'elle se projette sur une réalité extérieure comme la ville, la société, les autres.

Les études en psychologie sociale ont conduit à des conclusions inattendues. En Pennsylvanie, au début des années soixante-dix, il fut prouvé qu'on pouvait influencer le verdict d'une sentence en sélectionnant les membres d'un jury selon certains critères. Le premier jury ainsi « choisi » scientifiquement a, comme prévu, rendu sa décision en faveur de l'accusé ! C'est à la suite de recherches sur la prise de décisions en groupe restreint que des chercheurs ont pu établir certains profils à combiner lors de la composition d'un jury. Si l'utilisation des psychologues sociaux dans la sélection d'un jury semblait au départ incongrue, elle fait maintenant partie des mœurs juridiques.

TOUT SUR LA BD

Petite histoire

On a peine à croire que la BD fut l'une des premières formes d'expression de l'être humain ! Les dessins sur les murs des cavernes, tels ceux de la grotte de Lascaux, ne sont-ils pas des ancêtres directs de la bande dessinée moderne, comme le souligne l'éminent professeur Mocassin dans le roman ? Pourtant, ce n'est que vers la fin du XIXe siècle qu'apparaissent dans les journaux les premières bandes dessinées populaires. Une fois les lecteurs de journaux familiarisés avec ce « nouveau » mode de narration, la popularité de la BD va croissant et atteint, dans les années trente, des sommets dont elle n'est pas beaucoup redescendue depuis. Les *comics* d'un journal ne font-ils pas partie de ces rubriques sympathiques que le lecteur aime retrouver chaque jour et qui permettent de considérer de façon plus légère une actualité parfois indigeste ? La BD est toute simple, facile d'accès, voire enfantine. Il suffit d'un dessin, de quelques mots. Bien sûr, le genre s'est raffiné et les connaisseurs soulignent, à juste titre, la complexité de plusieurs albums, tant sur le plan de l'image que du récit. Mais si l'on veut ici se limiter à la variante « journalistique », il faut bien admettre qu'elle privilégie l'effet instantané, le gag rapide. Pour porter, la BD a l'avantage de combiner deux langages : celui de l'image, stylisée ou réaliste et celui des mots, dont chacun importe dans une BD, puisque le texte doit se faire suffisamment discret pour ne pas empiéter sur l'image. Les modes de cohabitation sont multiples, qui vont du dessin hyperréaliste aux personnages schématiques, de l'onomatopée aux réflexions presque poétiques. La BD est un genre vif et alerte : le découpage par scènes favorise l'ellipse, l'exiguïté des bulles rend le texte aérien, l'oblige au laconisme. Cette apparente simplicité ne pourrait-elle pas justement être rapprochée du style épuré de Poulin ?

Question de métier...

Si, dans la BD, la concision du texte est une contrainte pour les auteurs, elle l'est tout autant, sinon plus, pour les traducteurs. Alors que le personnage de Teddy fait ce métier dans le roman *Les*

Grandes Marées, Micheline Fournier et Isabelle Marmen le font dans la vie. Elles sont en effet toutes deux traductrices de bandes dessinées pour le compte du quotidien *Le Soleil* de Québec. Voici donc une entrevue avec des « collègues » de Teddy, histoire de jeter un pont entre la réalité et la fiction, de voir si le métier a bien changé depuis l'époque où on le pratiquait à l'île Madame. L'entrevue a été réalisée à Québec le 22 février 1999.

Q. Quelle formation ou quelles qualités faut-il pour être un bon traducteur de bandes dessinées dans un grand quotidien ?

I. M. Un diplôme d'études collégiales en traduction, mais aussi une formation en rédaction.

M. F. Nous sommes avant tout rédactrices et traductrices de la publicité et des annonces du journal. La traduction des bandes dessinées n'est qu'une de nos tâches. Mais traduire les bandes dessinées fait davantage appel à des qualités de rédaction puisque la traduction est souvent assez simple. Pour bien traduire l'idée, il faut parfois inventer, donc rédiger.

I. M. C'est vrai qu'il faut être inventive, savoir jouer avec les mots. Bien sûr, aimer les mots et bien les connaître. En plus, on doit être au fait de l'actualité, des tendances sociales : certaines bandes dessinées font référence à des modes ou à des faits sociaux très précis.

M. F. Un bon traducteur doit aussi faire preuve de souplesse et de jugement. Si on cherche à faire du mot à mot, le résultat sera mécanique et on risque de passer à côté de l'idée originale. C'est d'autant plus vrai avec les bandes dessinées, où l'humour est important.

I. M. Une dernière exigence propre à ce type de traduction : avoir l'esprit de synthèse. Il y a peu de texte dans les bulles. Il faut donc s'organiser pour que l'idée tienne en peu de mots mais soit quand même claire, tout en restant drôle.

M. F. C'est de la traduction, avec en plus des contraintes d'espace, puisque les dessins et leurs bulles restent inchangés au montage. Comment faire entrer un mot aussi long que « Pourquoi » dans une bulle conçue pour *Why* ? Il faut ruser et trouver autre chose !

Q. Concrètement, à quoi ressemble une journée dans la vie d'une traductrice de bandes dessinées ?

I. M. On travaille par « séries » de bandes dessinées d'une même histoire. Par exemple, on traduit tous les *Peanuts* d'une semaine en même temps, ensuite la série des *Hagar l'horrible* et ainsi de suite. Même si les bandes ne se suivent pas vraiment comme dans un feuilleton, il y a parfois des échos ou des références entre les bandes d'une même histoire. Il faut bien sûr en tenir compte lorsqu'on traduit. C'est pourquoi on envisage la traduction non pas par « journées » de parution, mais plutôt par semaines.

M. F. Si l'on excepte les bandes dessinées de l'édition du dimanche, qui sont un peu plus longues, une semaine dans le journal équivaut à six petites bandes dessinées pour chacune des huit histoires. Le temps que demande la traduction des bandes hebdomadaires d'une même histoire varie selon les difficultés du texte. En moyenne, on met deux heures par série de six bandes... On pourrait donc évaluer entre seize et vingt heures le temps consacré à la traduction des bandes dessinées pour leur parution hebdomadaire.

Q. Qu'est-ce qui peut retarder la traduction ? Quel genre de problème rencontrez-vous ?

I. M. Ça dépend. Le plus difficile à traduire, ce sont les jeux de mots. On doit parfois carrément en inventer un autre, qui coïncide avec le contexte et les images.

M. F. Certaines bandes sont un peu plus longues à traduire pour cette raison. Comme par exemple *Dilbert*, qui paraît depuis environ un an et demi. C'est un humour spécial, un univers étrange, avec un langage typé.

I. M. D'autres bandes dessinées sont très faciles et les traductions se font toutes seules tellement on les connaît bien. Comme *Blondinette* ou *Pour le meilleur et pour le pire.*

M. F. Il arrive aussi que les bandes dessinées américaines fassent référence à une actualité locale ou à des personnalités bien précises : le président, des vedettes, des procès célèbres. Il faut parfois l'adapter à nos propres référents culturels. Comme la direction du journal tient à ce qu'on ne nomme personne de connu pour éviter des poursuites judiciaires, c'est chaque fois un casse-tête lorsqu'il s'agit de remplacer le nom d'une personnalité.

Q. Selon vous, est-ce que le métier de traducteur de bandes dessinées a bien changé depuis les années soixante-dix, époque où l'exerçait Teddy, le personnage des *Grandes Marées* ?

I. M. Oui. Ce serait impensable, aujourd'hui, de se couper de toute communication sur une île déserte avec nos seuls dictionnaires. Les ordinateurs avec lesquels nous travaillons fonctionnent en réseau. On utilise des cédéroms et Internet. Il n'y a pas nécessairement de machine pour faire le boulot à notre place, comme dans le roman.

M. F. Les temps ont changé aussi. Avant, les traducteurs étaient peut-être moins « surveillés ». Il y a peut-être plus de contraintes aujourd'hui. Il faut faire très attention à la qualité de la langue – des lecteurs écrivent au journal dès qu'on fait un écart – il faut aussi ménager les susceptibilités. Le métier demande beaucoup de rigueur.

Q : Les bandes dessinées, elles, ont-elles changé avec les années ?

M. F. Beaucoup. Avant, il y avait plusieurs bandes dessinées sérieuses en feuilleton : des histoires d'amour ou d'espionnage. Ce genre n'est plus publié aujourd'hui. Il y a bien *Pour le meilleur et pour le pire* qui fait parfois courir une histoire sur quelques semaines, mais les bandes quotidiennes sont structurées de façon à être lues seules, sans que l'on ait besoin de connaître celle de la veille. En général, les histoires courtes qui tiennent en quelques cases plaisent davantage.

I. M. J'imagine que le genre d'humour a changé aussi. Il est plus présent et peut-être plus osé. Il y a davantage de caricature sociale. Les dessins aussi se sont transformés, ils sont un peu moins réalistes que dans les feuilletons d'autrefois.

Q. Comment fait-on le choix des bandes dessinées dans un journal comme *Le Soleil* ?

M. F. C'est en partie une question de traditions, et selon les habitudes des lecteurs. Le journal essaie de plaire un peu à tous, c'est pourquoi il y a différents styles.

I. M. Dans le cas de *Dilbert*, la dernière bande dessinée à s'être ajoutée, on a procédé par sondage. Cette bande dessinée a été choisie parce que c'était la plus populaire auprès des jeunes, particulièrement sur Internet.

M. F. Pour l'inclure, on a dû retirer la bande dessinée qui plaisait le moins selon le sondage, soit *Philomène*. Certains s'en sont plaints. La page des bandes dessinées est très populaire ; dès qu'on y fait un changement, on reçoit beaucoup de commentaires.

Q : Mais pourquoi cette prédominance des bandes dessinées américaines ?

M. F. C'est simplement une question de coûts. Le système américain de diffusion offre les bandes dessinées à plus de 1 500 journaux dans le monde. Les coûts sont moins élevés puisqu'on partage les frais avec tous les autres quotidiens. La gestion est aussi plus facile : on n'a qu'un seul intermédiaire.

I. M. Mais *Le Soleil* accorde aussi une place à une bande dessinée québécoise, *Baptiste*, d'André-Philippe Côté. C'est plus cher puisque le journal paie la facture tout seul, mais on a l'exclusivité et on encourage un bédéiste d'ici.

LA LITTÉRATURE ET LE RESTE

LE ROMAN DANS TOUS SES ÉTATS

L'histoire littéraire fait descendre le roman de l'épopée ou du récit épique, sortes de longs poèmes narratifs qui dans l'Antiquité étaient destinés à glorifier les exploits d'un héros. L'*Iliade* et l'*Odyssée* du poète grec Homère ou l'*Énéide* du poète latin Virgile représentent les modèles fondateurs du genre. Cette même tradition du récit héroïque réapparaît en France au XIe siècle, avec les chansons de geste, genre très en vogue à cette époque, et qui coïncide avec les premières manifestations de la littérature française. Récitées sur les places publiques ou à la cour par jongleurs et ménestrels, les chansons de geste relataient, en de longs couplets narratifs, les exploits de héros célèbres, par exemple Charlemagne ou Guillaume d'Orange. On voit mieux, en évoquant ses lointains ancêtres littéraires, la tradition orale qui couve sous le roman, dont l'essence demeure de raconter une histoire. *Les Grandes Marées*, long récit qui raconte les tribulations de différents personnages, est bien sûr un roman. Mais on voit aussi se profiler, dans ce goût de conter qu'on retrouve chez plusieurs des personnages, d'autres genres narratifs, comme le conte ou la fable.

Si la chanson de geste est surtout « chantée », comme son nom l'indique, certaines ont donné lieu à des versions écrites, ce qui en a assuré la pérennité. *La Chanson de Roland*, qui remonte à la seconde moitié du XIe siècle, est sans doute la plus célèbre. On y raconte les exploits de Roland, preux chevalier du bon roi Charlemagne, qui périt glorieusement à la bataille de Roncevaux, en 778.

Le conte et la fable

Historiquement, les deux genres paraissent davantage liés à la littérature orale ou au folklore. Récits d'invention et d'imagination, ils font tous deux appel au merveilleux, au fabuleux (d'où le nom de « fable »). Il suffit de se remémorer les contes de fées de notre enfance pour voir comme on y fait fi des conventions réalistes. Leur but n'est pas tant de dépeindre la réalité que d'illustrer une morale, une vérité générale à travers une belle histoire. Les personnages ou les situations, dans ces deux genres, ne sont pas très développés puisqu'ils ne servent souvent que de prétextes à l'illustration d'une idée. Le célèbre « Il était une fois... » permet de faire l'économie de bien des descriptions de temps ou de lieu. La visée morale, le désir de transmettre une forme de leçon ou d'enseignement qu'ont en commun ces deux types de récit ne sont pas étrangers au fait qu'ils sont associés à la culture orale, gardienne du savoir populaire. Ce sont ces vertus évocatrices, cette valeur d'enseignement du conte ou de la fable qu'utilisent certains personnages des *Grandes Marées* lorsqu'ils racontent une histoire. Leurs récits tendent même vers la parabole ou l'allégorie, genres éminemment bibliques, où sont illustrés un message ou une vérité par un jeu d'analogies transparentes. Un récit n'est jamais tout à fait gratuit, il cache, entre ses lignes, quelque vérité universelle, un message que le conteur désire transmettre. Il appartient aux destinataires de le déchiffrer. Tout le roman lui-même, sous ses airs de conte, pourrait bien servir à illustrer une vérité de la vie.

Du *Petit Chaperon rouge* au *Chat botté*, les exemples de contes célèbres sont légion. Voltaire a raffiné le modèle, au XVIIIe siècle, avec des contes philosophiques comme *Candide*, où l'ingénuité du genre sert à masquer la critique sociale. Quant aux fables, celles qu'on doit à La Fontaine n'ont jamais été égalées. Écrites au XVIIe siècle, elles sont toujours populaires aujourd'hui.

Le roman

Pour revenir au genre romanesque, et sans en faire une généalogie qui serait ici trop longue, on peut dater du XIXe siècle l'essor du roman, ou plutôt des romanciers, avec, en France, de grands auteurs comme Stendhal, Hugo, Balzac, Flaubert, George Sand et, en Russie, en Angleterre ou aux États-Unis, les Dostoïevski, Tolstoï, Dickens, Austen ou Melville. Il y avait bien longtemps que le roman roulait sa bosse, avec les romans de chevalerie du XIIe siècle, le *Don Quichotte* de Cervantes, les *Gargantua* et *Pantagruel* de Rabelais à la Renaissance et *La Nouvelle Héloïse* de Rousseau au XVIIIe siècle (pour ne nommer que ceux-là), mais c'est à partir de 1800, ou à peu près, qu'il acquiert ses lettres de noblesse en privilégiant une peinture plus réaliste de la vie en société et de la nature humaine. Au XIXe siècle, en effet, un courant profond, le réalisme, domestique le roman et lui donne force et intensité, lui qui jusqu'alors s'amusait aux invraisemblances du récit d'aventures et aux extravagances de héros tout d'une pièce. Les romanciers cherchent à recréer la réalité dans toutes ses couleurs et ses nuances, pour en saisir l'essence ou la vérité. C'est à partir de cet âge d'or du roman que le genre se fractionne, se décline sous diverses tendances devenues autant d'épithètes ajoutées au mot et dont on aurait peine à dresser la liste tant elle est diversifiée : roman psychologique, roman historique, roman poétique, roman d'initiation, roman d'aventures, roman d'atmosphère, nouveau roman, roman à l'eau de rose... Au fait, comment qualifier *Les Grandes Marées* ?

ROMAN. Œuvre d'imagination en prose, assez longue, qui présente et fait vivre dans un milieu des personnages donnés comme réels, fait connaître leur psychologie, leur destin, leurs aventures. (*Le Nouveau Petit Robert.*)

Roman français et roman américain

On dira ainsi qu'il y a un roman français et un roman américain, lesquels, selon le personnage de l'Auteur dans *Les Grandes Marées*, exerceraient une influence égale sur le roman québécois. Ces deux esthétiques romanesques (française et américaine) se distinguent en effet par leur façon de raconter une histoire. Le roman français ferait davantage place aux idées, à l'analyse psychologique, aux explications, tandis que le roman américain, plus discret, tendrait vers une description objective des faits et des gestes des personnages, ce qui en ferait un roman d'action. Le modèle américain renvoie surtout à des auteurs comme Hemingway, Faulkner, Dos Passos, Steinbeck qui, durant l'entre-deux-guerres, ont créé une nouvelle technique romanesque. Comme celle-ci paraît avoir influencé Jacques Poulin, elle mérite qu'on s'y arrête. Ce type de roman américain, très proche de la technique cinématographique, s'attache à décrire la réalité le plus directement possible, sans essayer de l'analyser ou d'en faire l'interprétation. Le point de vue adopté est résolument extérieur. C'est celui de l'œil d'une caméra, à partir duquel le visible est décrit minutieusement. L'auteur s'en tient au comportement, au langage des personnages, qui deviennent les signes extérieurs de leur psychologie, le lecteur n'ayant jamais accès à leur univers intérieur. Ce genre de roman est parfois associé à un courant artistique (et stylistique) qu'on nomme « minimalisme ». Une telle appellation est souvent associée à l'œuvre de Poulin pour en souligner le style dépouillé et retenu, la façon de livrer une scène à travers une minutieuse observation, sans l'ornementer ou la commenter, bref selon une esthétique de la discrétion. Le minimalisme suppose en effet une écriture volontairement simple, qui cherche à capter la réalité de façon directe, en évitant les figures superflues, les périphrases. Peu d'images, pas de syntaxe alambiquée : une phrase courte, un vocabulaire simple, sobre et concret. Cette façon de donner à voir crée chez le lecteur une impression de simplicité qu'on pourrait confondre avec la facilité. Pourtant, il faut savoir lire, sous cette apparente objectivité, tout le pouvoir symbolique de la réalité.

Thématique à l'américaine

De façon plus générale, le roman américain est traversé de thèmes et de motifs qui répondent aux grands mythes liés aux événements fondateurs du pays. D'abord, le peuplement de la côte est par des communautés animées d'une foi jugée trop intransigeante Outre-Atlantique ; ensuite, la guerre d'Indépendance, par laquelle le pays affirme son identité propre et s'affranchit de l'Ancien Monde ; enfin la conquête patiente de cet immense territoire jusqu'au Pacifique : trois grandes épopées américaines qui chaque fois éveillent le sentiment d'atteindre un monde nouveau et meilleur. Il n'est pas étonnant que le thème du paradis perdu soit omniprésent dans la littérature et la culture américaines : il en symbolise toute l'aventure. Le recommencement de l'Histoire sur de nouvelles fondations, l'aspiration à la pureté et au bonheur par le retour à un état naturel s'inscrivent dans la mémoire profonde de ce pays. Mais l'espoir de créer une société parfaite sur une terre vierge et pure est sans cesse déçu : c'est bien connu, le paradis se dérobe toujours devant l'homme. Voilà pourquoi on l'appelle le « paradis perdu » et qu'il est si courant dans les œuvres américaines, avec son corollaire, l'éternel conflit entre la nature et la culture. Simplifions un peu pour les fins de la démonstration, comme le fait volontiers un certain manichéisme américain. Dans le coin gauche, la nature. C'est la vie, la pureté, le bonheur, mais aussi la violence sauvage et indomptable. Elle tente de reprendre ses droits et ses privilèges malgré les assauts de son ennemie du coin droit : la culture, symbolisée par l'homme et son savoir orgueilleux, la ville et la corruption sociale. Pour mener à bien ce combat, le héros américain : solitaire, à la dignité farouche, en lutte contre l'injustice, les méchants et le reste du monde.

Le succès de films-catastrophes comme *Jurassic Park* ou *Titanic* montre bien l'importance du vieux couple nature-culture sur l'imaginaire américain. Presque toujours, la nature l'emporte sur la science, le progrès, la civilisation.

L'ŒUVRE DANS L'ŒUVRE

On serait tenté de dire de Jacques Poulin qu'il écrit toujours le même roman, tant ses récits se ressemblent et se répondent. Il est vrai que l'univers de l'auteur témoigne d'une grande unité : les mêmes personnages reviennent d'un livre à l'autre, identiques ou semblables, leurs quêtes s'apparentent, modulées selon des motifs récurrents.

En fait, le charme des romans de Jacques Poulin tient en partie à cette impression de familiarité devant les personnages, les situations qu'ils vivent, les lieux qu'ils habitent. Comme chez Balzac ou, au Québec, chez Michel Tremblay, les jeux de miroirs, d'échos, de retours des personnages et des situations, créent le sentiment chez le lecteur de retrouver, à chaque nouveau roman, de vieux amis ou même de poursuivre une histoire qu'il connaît bien.

L'homme

Doux, timide, rêveur, solitaire, taciturne à ses heures, le héros de Poulin est écrivain ou, à tout le moins, vit dans un univers proche de l'écriture ou de la littérature. S'il n'est pas un auteur reconnu qui publie des romans, il fait, comme Teddy, un métier relatif aux mots, aux livres (rédacteur de lettres, chauffeur d'un bibliobus, commis aux écritures). Si le héros accorde une grande importance à la lecture et aux livres, il aime aussi les sports : il les pratique – par exemple le tennis – ou en est spectateur – le hockey, le baseball et la course automobile.

D'autres personnages masculins peuvent apparaître dans les romans de Poulin et incarner une facette, voire un double du héros, comme si ce dernier se dispersait en différents reflets. Il s'agit souvent d'un double négatif ou inversé du héros, plutôt doux et réservé. L'exemple le plus frappant est celui de Théo, frère expansif et aventurier, qui revient dans trois romans, dont *Les Grandes Marées*. Peut-être parce qu'il est le double inversé du héros, le personnage masculin secondaire fait souvent office de rival, parfois de tiers dans une situation de triangle amoureux, fréquente dans les romans de Poulin.

La femme

Un même type de femme accompagne le héros dans les romans de Poulin. Image de la femme idéale, avec son côté maternel et protecteur (son nom évoque souvent la mère archétypale : Marie, Mary, Marika), elle est l'objet de l'amour du héros, qui ne cherche pas à la posséder ni vraiment à la séduire... elle est l'âme sœur, au sens le plus strict du terme. D'ailleurs, cette femme ressemble au héros. Quelquefois physiquement (à ce titre, elle vieillit en même temps que lui d'un roman à l'autre), mais surtout sur le plan de l'esprit : elle l'écoute, elle le devine, elle partage son goût des livres. Comme lui, elle est solitaire ou autonome, mais en plus énergique et en plus déterminé : sa force tranquille se reflète quelquefois dans un physique athlétique ou des aptitudes traditionnellement masculines (comme la Grande Sauterelle de *Volkswagen Blues* qui est mécanicienne). La femme, chez Poulin, est donc le vis-à-vis du héros... elle ne lui est jamais soumise, elle ne cherche pas à le dominer.

Moins fréquent mais suffisamment important pour en faire mention, un autre personnage féminin se profile dans l'univers de Jacques Poulin. Il s'agit d'une adolescente aux traits ou à l'allure androgynes, garçonne, secrète et fuyante, fragile par son âge même, et qui souvent aborde le héros sans pudeur, le questionne et l'interpelle familièrement.

Le chat

Autre personnage de tous les romans de Poulin : le chat ou, mieux, les chats. Bien qu'ils ne semblent pas occuper de rôle central dans la dynamique des personnages, les chats sont toujours présents dans les romans de Poulin. Discrets, indépendants, affectueux, ils incarnent le quotidien des personnages, la présence inconditionnelle, la fidélité muette et gratuite. L'affection que leur porte le héros tient du respect, de la fascination.

L'histoire et les thèmes

Les romans de Jacques Poulin, surtout à partir des *Grandes Marées*, pourraient être qualifiés de « romans d'amour », parce que le récit tourne souvent autour d'un homme et une femme. Pourtant, c'est, bien plus que l'amour, la relation avec l'autre, ici la sœur ou le double de soi-même, que le héros désire atteindre sans toujours y parvenir. Les histoires d'amour des héros de Poulin sont des histoires d'ouverture à soi et aux autres. La fusion spirituelle demeure la quête ultime... et impossible. C'est pourquoi l'homme et la femme, chez Poulin, sont complémentaires en ceci que chacun incarne la part cachée ou cherchée de l'autre. Le héros cherche à s'unifier ; en tant que reflet ou que part de lui-même, l'autre devient un moyen d'y arriver. *Les Grandes Marées* n'en est-il pas l'illustration exemplaire ? Les thèmes et motifs des romans de Poulin se greffent donc à cette entreprise du personnage central : échanger avec l'autre, expérimenter différents moyens d'entrer en contact avec lui.

La communication et son contraire, le mutisme, traversent l'œuvre entière et se développent sous forme de thèmes. Les livres, on l'a dit, occupent une place primordiale dans l'univers de Poulin : ils sont nommés, cités, résumés, adorés. En fait, la littérature, parce qu'elle est le prolongement des personnages, qu'elle en est souvent le reflet, sert dans bien des cas de lieu d'échange ou de moyen d'expression entre les personnages. Ceux-ci communiquent par chanson, par conte, par citation interposés.

Les images de l'enveloppe, du cocon, de la carapace se multiplient, illustrant le besoin de fusion (maternelle), de repli sur soi. Ainsi, la femme protège et réchauffe. Certains objets, symboles d'union ou de pont entre les êtres, sont récurrents, comme les couvertures et le *sleeping bag*, qu'on retrouve dans presque tous les romans : c'est l'enveloppe personnelle qu'on ouvre, en toute confiance, pour faire entrer l'autre dans son univers.

Les lieux

Les personnages de Jacques Poulin peuvent parfois se rendre loin, même jusqu'à San Francisco (comme dans *Volkswagen Blues*). Mais le plus souvent, ils évoluent dans la ville de Québec et ses environs. La vieille ville, avec ses murs protecteurs, ses rues soigneusement nommées, tient presque lieu, dans certains romans, de personnage secondaire tant elle ajoute à l'atmosphère. Elle appelle même certains personnages : le caléchier, la vieille serveuse du Café, l'adolescente fuyante et mystérieuse. Autre élément essentiel du décor de Poulin : le Saint-Laurent. Paysage imprenable, il est contemplé du haut du Vieux-Québec, ou le long des routes qui le suivent jusqu'en Gaspésie ou sur la Côte Nord. Parfois, il est admiré de plus près. Il arrive que ses eaux puissantes viennent baigner certains personnages qui habitent ses rives : à l'île Madame, bien sûr, mais aussi à Cap-Rouge.

Le tableau ne serait pas complet si on ne parlait du vieux bus Volkswagen, tout bosselé mais tenant bon la route, qui apparaît dans nombre de romans. Il sert bien sûr au déplacement, au voyage, mais il sait aussi s'enraciner pour protéger et entourer le héros et ses invités. Lieu hybride, espace de l'entre-deux fréquent dans l'univers de l'auteur, le vieux « camper Volks » est à la fois intérieur, carapace du héros, et extérieur, ouvert sur la route, le monde.

L'île Madame est évoquée dans d'autres romans de Poulin, notamment dans *La Tournée d'automne*, où les personnages l'observent du haut de la tour de Saint-François à l'île d'Orléans, dans *Jimmy*, dont la scène finale montre le héros, un jeune garçon d'une dizaine d'années, qui dérive, seul sur un radeau, vers l'île Madame.

Et Les Grandes Marées *dans tout cela ?*

Cinquième roman, fruit d'une certaine « maturité » littéraire, *Les Grandes Marées* paraît clore un cycle et en amorcer un nouveau dans la production de Poulin.

D'abord, l'aspect invraisemblable ou irréel de la situation, qui fait se retrouver une mini-société d'adultes sur une île déserte, donne aux *Grandes Marées* des airs de conte philosophique qu'on ne trouve pas, du moins à ce point, dans les autres romans de l'auteur. En fait, trois des romans qui précèdent celui-ci présentent quelques passages fantastiques. La fin de *Jimmy* et du *Cœur de la baleine bleue*, comme celle des *Grandes Marées*, fait basculer le héros dans un univers mystérieux, qui ne répond plus aux lois du réalisme. C'est dans *Les Grandes Marées* pourtant que Poulin pousse le plus loin les frontières du vraisemblable, jusqu'à toucher un peu à l'utopie : sans être totalement impossible, le microcosme de l'île Madame est suffisamment caricatural pour mettre en relief l'aspect exemplaire de la situation et ainsi tirer les traits d'une fable contemporaine. Les romans qui suivent garderont parfois une touche de mystère, mais celui-ci sera intégré aux personnages. L'intrigue, elle, restera bien réaliste. On pourrait donc dire que *Les Grandes Marées* achève, en lui donnant toute sa force, la veine « fantastique » ou plus justement « insolite » qui caractérise les premiers romans de Poulin.

La variété et la quantité de personnages semblent une autre caractéristique qui confère une place à part à ce roman de Poulin. Non pas que *Les Grandes Marées* soit le seul à faire évoluer, derrière le couple héros, des personnages secondaires, mais alors que la plupart des autres histoires se limitent à cinq ou six personnages dont la moitié sont seulement « entrevus », *Les Grandes Marées* en fait vivre et parler jusqu'à huit, bien que leur identité reste schématique et puisse se réduire à un surnom. Ce nombre impressionnant d'acteurs pourrait bien être le signe, dans l'œuvre de l'écrivain, d'un point tournant dans la thématique de la relation à l'Autre. Orchestrée ailleurs autour de l'intime et du rapport amoureux, la problématique s'attache à l'essence même de l'être dans *Les Grandes Marées*. L'autre devient « les » autres, la société, d'où la multiplication des personnages.

L'espace mis en scène, une île, est unique dans le parcours de l'auteur. Il reflète à lui seul le caractère singulier d'un roman où les personnages s'accumulent, comme autant de péripéties, pour rendre plus périlleuse (et symbolique) la quête du héros.

Sur le plan formel, *Les Grandes Marées* représente aussi une étape dans toute l'écriture de Jacques Poulin. Déjà, le roman précédent, *Faites de beaux rêves*, employait la technique, jamais reniée depuis, des courts chapitres aux titres évocateurs et amusants. Mais c'est avec *Les Grandes Marées* que ces mêmes chapitres deviennent pour ainsi dire des tableaux, presque de petites histoires autonomes. C'est en outre dans ce roman que Poulin, pour la première fois, a recours aux dessins, aux schémas ou aux listes pour illustrer et accompagner la narration. Cette façon de faire réapparaît dans des romans ultérieurs, mais nulle part elle n'envahit autant le récit que dans *Les Grandes Marées*.

LA BIBLIOTHÈQUE DE L'ÎLE MADAME

Les livres, on l'a dit, jouent un rôle prépondérant dans les romans de Jacques Poulin. Sont réunis ici quelques-uns de ceux évoqués dans *Les Grandes Marées*, de même qu'une notice sur Ernest Hemingway, figure littéraire marquante pour l'auteur et à laquelle il fait allusion dans pratiquement tous ses romans.

Les lettres à son frère Théo de Vincent Van Gogh (1853-1890)

Vincent Van Gogh, peintre mythique de l'histoire de l'art moderne, est l'un des premiers artistes à traduire par ses toiles ses émotions intérieures. L'intensité de ses couleurs, la puissance de son trait font de ses tableaux les miroirs de son âme tourmentée et impétueuse. Le recueil de la correspondance que Vincent Van Gogh adresse à son frère Théo, de quatre ans son cadet, éclaire bien sûr la vie du grand peintre puisqu'il y livre sans fard ses réflexions sur l'art, sur l'amour, sur la vie, sur ses crises de folie qui finiront par le perdre. Mais on peut aussi lire, dans ses patientes missives, l'attachement à une figure fraternelle qui devient un reflet, un double de soi-même. Vincent le créateur, le coloré s'interroge à travers cet envers de lui-même qu'est le fidèle Théo, conseiller toujours disponible qui l'aide matériellement et l'encourage dans son entreprise artistique. Quelques mois à peine après le suicide de son frère, le sage Théo meurt à son tour... comme si ces deux frères n'étaient qu'une moitié d'un tout.

> « Je ne ferai rien de rien sans toi [...]. Dans un an, j'espère que tu sentiras qu'à nous deux nous avons fait une chose artistique. »
>
> Vincent Van Gogh *Lettres à Théo*.

Richard Brautigan (1935-1984)

Avec ses œuvres hétéroclites et originales, qu'il prend plaisir à baptiser selon leur genre (western gothique, roman japonais, énigme et autres perversions), cet auteur américain est devenu, en 1965, avec la publication de *La Pêche à la truite en Amérique*, un héros culturel des années soixante. L'humour de Brautigan relève de la dérision, voire d'un certain désabusement. Des images fortes, pour ne pas dire décapantes, une structure éclatée qui se manifeste par un recours aux chapitres-tableaux d'à peine quelques pages (qu'affectionne justement Poulin) sont la marque de commerce de Brautigan.

« Je ne sais pas comment les gens font pour vivre comme moi. »

Richard Brautigan, *Un privé à Babylone.*

Ray Bradbury (1920-)

Considéré comme un auteur de science-fiction, Bradbury semble emprunter davantage au fantastique (ou à tout le moins à une science-fiction « douce ») tant chez lui les thèmes humanistes, la critique de la science et de l'aliénation sociale prennent le pas sur l'aspect futuriste ou scientifique. Bradbury se plaît, dans ses nombreuses nouvelles, à explorer des thèmes comme la nostalgie de l'enfance et du passé, le jeu fascinant des apparences, la solitude de l'individu, la mort. Son univers est plus près du fantastique, de l'étrange ou du macabre que de la science-fiction pure, qui ne sert souvent que de prétexte à l'évocation idéalisée d'une innocence perdue ou n'est là qu'en contrepoint. *Fahrenheit 451,* roman paru en 1955 (et que François Truffaut a porté à l'écran en 1966), décrit une société où ceux qui pensent sont persécutés, où les livres sont consciencieusement brûlés par les pompiers. Bibliothèque vivante, une poignée de rebelles apprend par cœur les livres, chacun se faisant le gardien d'une œuvre.

Ces personnages sont en quelque sorte les ancêtres de la Marie des *Grandes Marées* et de sa technique de « lecture ralentie ».

« Peut-être s'attendait-il à voir leurs traits s'illuminer de la connaissance qu'ils portaient en eux, briller comme brillent des lanternes, éclairées du dedans. »

Ray Bradbury, *Fahrenheirt 451.*

Kurt Vonnegut Jr. (1922-)

Il est difficile de qualifier cette œuvre inclassable : science-fiction peut-être, utopie souvent. Vonnegut mélange cynisme et burlesque. Le tout se présente sous forme de récits éclatés (à saveur souvent biographique) dont les chapitres, coiffés de slogans, tiennent parfois en un paragraphe. Témoin de la Deuxième Guerre mondiale, fasciné par cette propension de l'humain à s'autodétruire, Vonnegut imagine des univers pétillants d'imagination, touffus, qui renvoient cependant l'écho des horreurs du XXe siècle. Comme dans *Le Berceau du chat* (auquel fait allusion Marie dans *Les Grandes Marées*) où le narrateur, Jonas – attiré par la figure de Hoenikker, inventeur de la bombe atomique –, se retrouvera sur l'île de San Lorenzo où sont réunis les enfants du défunt savant avec le dernier cadeau laissé par le paternel : la glace-9, substance capable de faire se solidifier l'eau. La société insulaire de ce roman fait également découvrir au narrateur le bokonisme, nouvelle religion qui s'appuie sur la non-vérité, comme l'enseigne *Le Livre de Bokonon.*

> « Laisse le *foma** diriger ta vie. Il te fait brave et agréable, il te rend bien portant et heureux. »
> *Les Livres de Bokonon,* 1-5.
> **Foma* : ensemble de mensonges sans danger.
>
> Kurt Vonnegut Jr., *Le Berceau du chat.*

Ernest Hemingway (1898-1961)

C'est un monument de la littérature américaine que ce vieil Hemingway : son attrait tient bien sûr à son œuvre, riche et puissante, mais aussi sans doute au personnage, non moins imposant avec sa stature athlétique et son tempérament énergique et fougueux. Élevé dans les forêts du Michigan, Hemingway respire la santé. Il aime la terre, la nature, la vie sauvage et ses récits le reflètent bien. À titre d'ambulancier et de reporter, Hemingway a fait la guerre. Celle de 14-18, celle d'Espagne, celle de 39-45. Il aime le danger, la pulsion de mort qui gronde sous ces grands rassemblements humains. Ses romans s'inspirent de cette atmosphère d'urgence, sa prose garde des influences journalistiques : économie de moyens, style simple et direct, description « objective » des personnages ou des événements.

Au lendemain de la Première Guerre mondiale, on trouve Hemingway à Paris, ville-phare d'une nouvelle culture où se croise une faune artistique cosmopolite. Parmi ces créateurs épris de nouveauté, on compte plusieurs Américains qui délaissent une Amérique d'après-guerre devenue soupçonneuse et intolérante, fermée à tout ce qui sort des rangs. Des écrivains comme Francis Scott Fitzgerald, John Dos Passos, William Faulkner ou John Steinbeck, à la sensibilité écorchée par la guerre, dont l'idéal s'est brisé les ailes sur les horreurs de l'Histoire, forment ce qu'on a appelé la « génération perdue ». Hemingway en est un des plus célèbres représentants, lui qui renouvelle dans son œuvre la façon de voir et de comprendre l'homme du XXe siècle. Ses récits savent rendre, par une évocation sensible et délicate, la grandeur de l'homme, mais aussi sa solitude et ses angoisses : *L'Adieu aux armes, Pour qui sonne le glas, Le Vieil Homme et la mer* (qui vaut à l'auteur, en 1954, le prix Nobel de littérature) pour ne nommer que ceux-là. En 1961, à Ketchum, dans l'État d'Idaho, Ernest Hemingway, gravement malade, sent ses forces vives le quitter et décide de se donner la mort. Il laisse une grande œuvre qui en inspirera d'autres, comme celle de Jacques Poulin.

> « Chacun doit avoir la vocation de ce qu'il entreprend, se disait-il. De quelque manière qu'un homme gagne sa vie, c'est là qu'est son talent. »
>
> Ernest Hemingway, *Les Neiges du Kilimandjaro.*

L'UNIVERS MUSICAL

L'univers musical des années soixante-dix est, comme on l'a vu dans le chapitre sur la société, influencé par la contre-culture de la décennie précédente. Base rythmique obligée au lendemain d'Elvis et des Beatles, le rock-and-roll se perfectionne, se module selon de nouvelles tendances. Le son rock s'épanouit avec des groupes comme les Rolling Stones, pour qui les années soixante-dix représentent la grande époque. Mais le rock sait aussi se faire dur. Avant de devenir « métallique » dans les années quatre-vingt, il est d'abord hard rock, avec des groupes comme Deep Purple ou Led Zeppelin par exemple.

En fait, c'est beaucoup la Grande-Bretagne qui domine la scène musicale avec la musique progressive (que les initiés appelleront le « progressif »), musique-expérience dont le groupe Pink Floyd est le porte-étendard, bientôt rejoint par Yes et Genesis. Le trio règne sur la décennie soixante-dix et les jeunes de cette génération voient avec ces groupes se redéfinir le rock, la façon de l'écouter et de le mettre en scène. La musique progressive puise sa source dans le rock, mais le rend plus « sophistiqué » par une recherche sonore qui passe parfois par la musique classique, par le jazz, par des expériences acoustiques exploitant une technologie nouvelle. Ce goût pour le raffinement et la complexité appelle une écoute plus attentive, qui écarte la danse. On imagine plutôt un sous-sol sombre tapissé de posters, enfumé, des auditeurs allongés et silencieux, concentrés sur l'exécution savante de *Dark Side of the Moon* du groupe Pink Floyd, qui en 1973 devenait l'album-culte de toute une génération.

La révolution se transporte aussi sur la scène, où les concerts se transforment en véritables spectacles, avec l'apport de techniques d'éclairage qui rehaussent l'aspect visuel et une mise en scène qui devient même théâtrale, comme avec les déguisements de Peter Gabriel, à l'époque chanteur du groupe Genesis. Bref, les années soixante-dix donnent naissance au concept de « show » musical, qui nous paraît tout naturel aujourd'hui.

Sur les scènes québécoises se produisent plutôt Robert Charlebois, Diane Dufresne, Beau Dommage ou Harmonium, preuves que le Québec sait prendre sa place dans le courant et colle, sur des airs à la mode, des paroles et une réalité bien à lui. Faisant le pont avec les poètes des boîtes à chansons de la génération qui le précède, Robert Charlebois, premier rocker national, modernise la chanson à texte en la rythmant au goût du jour. Diane Dufresne est quant à elle la première diva québécoise : sa voix sensible, ses costumes extravagants, ses interprétations provocantes font d'elle une star à part entière. Beau Dommage, groupe formé entre autres de Michel Rivard, Pierre Bertrand et Marie-Michèle Desrosiers, pourrait revendiquer le titre du groupe de la décennie. Toute une génération née dans le béton, nourrie de culture américaine, s'identifie à cette formation et se reconnaît dans la fausse naïveté de ses chansons urbaines. Pour ne pas être en reste, le groupe Harmonium (avec Serge Fiori à sa tête) prouve que la musique progressive est particulièrement harmonieuse en version québécoise.

LIRE *LES GRANDES MARÉES*

RÉCEPTION CRITIQUE

À sa parution, au printemps 1978, le roman de Poulin *Les Grandes Marées* a été fort bien accueilli par la critique. Déjà, Jacques Poulin, dont l'œuvre comptait alors quatre romans, s'était fait remarquer par l'originalité de son univers : la portée poétique ou symbolique de ses histoires, la douceur, la tendresse de personnages souvent liés à l'enfance, le thème de l'écriture et celui du rapport à l'autre. À l'époque, plusieurs critiques voient, dans ce cinquième roman qui vaudra à son auteur le prix du Gouverneur général du Canada, une œuvre exceptionnelle : « une espèce de parachèvement en notre littérature d'imagination », selon Alain Renaud dans la revue *Voix et images ;* « le meilleur [roman] de Jacques Poulin et sûrement l'un des meilleurs de l'année littéraire », selon François Ricard de la revue *Liberté.* La plupart des critiques insistent, à la sortie des *Grandes Marées,* sur ce qui semble faire aujourd'hui la marque de commerce de l'auteur : la simplicité. Madeleine Ouellette-Michalska dit de l'auteur, dans le magazine *Châtelaine,* qu'il « n'utilise que les mots et les gestes essentiels » ; Réginald Martel parle dans le quotidien *La Presse* d'une « écriture allusive, réduite au minimum, jamais appuyée d'un romancier qui tient bien plus à dire qu'à démontrer », tandis que Gilles Dorion admire, dans la revue *Québec français,* la « délicatesse de sentiments en demi-teintes, qu'une secrète pudeur épanouit » et que François Ricard, dans la revue *Liberté* encore une fois, voit « une gravité sobre et douce, [...] une gravité joyeuse, c'est-à-dire, peut-être, la vraie gravité des enfants ». À ce sujet, Jacques Godbout, chroniqueur littéraire pour le magazine *L'Actualité,* réserve à Poulin une place dans « un courant original de la littérature québécoise : la fiction douce », courant qui se caractériserait par la tendresse et auquel on pourrait aussi rattacher, toujours selon Godbout, *L'Hiver de force* de Réjean Ducharme. Une pareille allusion au roman de Ducharme apparaît également dans la recension de François Ricard, qui rapproche quant à lui les deux romans sur le plan satirique. Tous s'entendent d'ailleurs pour souligner, dans *Les Grandes Marées,* la critique sociale : « vive, quoique tempérée par un humour très sérieux » (Martel) ou « féroce, [...] divertissante et efficace, dans la mesure où rien [...] n'est lourdement appuyé » (Lise Gauvin du quotidien *Le Devoir*). Ricard parle d'une « ironie sociologique » et même « métaphysique » et ajoute que « la structure mythologique des *Grandes Marées* sera tout à fait celle de la Genèse ». Idée reprise par Gabrielle Poulin dans la revue *Relations,* dans un article justement nommé « *Les Grandes Marées* ou la Genèse en... bandes dessinées » : « Toute la création est en place. » Enfin, dans *Le Devoir,* Lise Gauvin insiste elle aussi sur le « mode allégorique » de « cette fable étrange et singulière ».

Le roman de Poulin a également joui d'une couverture de presse anglophone, alors qu'en 1986 il était publié par la maison Anansi sous le titre *Spring Tides.* C'est à la traductrice Sheila Fischman qu'a été confiée la version anglaise du livre, à qui l'on doit aussi la traduction des trois premiers romans de Jacques Poulin regroupés en une trilogie (*The Jimmy Trilogy*) parue en 1979, toujours chez Anansi. Dans leur recension de *Spring Tides*, quelques critiques ne manquent pas de souligner l'excellence du travail de madame Fischman, reconnue notamment pour ses traductions d'auteurs québécois tels que Anne Hébert, Michel Tremblay, Marie-Claire Blais et Roch Carrier. Elle parvient ici, dit-on, à rendre avec justesse et nuance les nombreux passages où Poulin joue avec la langue et les mots.

Dans l'ensemble, les critiques anglophones des *Grandes Marées*, comme les critiques francophones, parlent de la délicatesse, de l'humour tendre de l'univers de Poulin ; la portée philosophique, les résonances sociales de l'histoire de Teddy. Une seule différence, mais flagrante, paraît opposer les deux réceptions critiques (qui ont lieu, rappelons-le, à quelque huit ans d'intervalle) : les anglophones n'hésitent pas à faire une lecture « politique » des *Grandes Marées*, alors que ce type d'interprétation est quasi absent dans la presse francophone. En effet, les articles en anglais, écrits il va sans dire après le référendum de 1980, font souvent mention de l'île comme symbole de l'isolement du Québec ou de sa position précaire dans l'Amérique du Nord. À ce sujet, on ne manque pas de relever les traces d'une problématique de l'identité culturelle à travers le roman (dans les propos polémiques du personnage de l'Auteur, dans les problèmes de traduction de Teddy, par exemple).

Ces différences de regard, reflets d'identités culturelles distinctes, certes, mais aussi marques du temps qui forcément influence notre lecture, permettent d'apprécier davantage encore toute la richesse de l'œuvre de Poulin, dans laquelle chacun peut puiser à sa guise.

POURQUOI J'AI AIMÉ *LES GRANDES MARÉES*

J'ai beaucoup apprécié ce roman, qui illustre, par les émotions sans cesse retenues de Teddy, à quel point l'expression de nos sentiments est primordiale.

Mathieu De B.

L'histoire d'amour dans *Les Grandes Marées* est sans doute du plus beau genre qui soit : c'est d'une grande intensité.

Gérard B.

Jacques Poulin sait me rendre vivant son univers. Je vis avec les personnages : je me lève et travaille avec eux, j'ai envie d'être seule et je me sens envahie. Comme Teddy et Marie, j'attends les grandes marées avec un peu d'anxiété...

Violaine F.

J'ai aimé *Les Grandes Marées* parce que la langue se rapproche beaucoup de celle que j'utilise tous les jours et parce que le récit est crédible. Les personnages ressemblent à des gens que je connais et les objets, les expressions sont très quotidiens.

François H.

J'ai beaucoup apprécié la simplicité de l'écriture, du langage. La complexité d'une phrase ne fait pas nécessairement sa beauté. J'ai aussi aimé la façon dont Jacques Poulin nomme ses personnages ; il sait faire preuve d'originalité.

Marie-Line C.

Ce qui est frappant, c'est le pacifisme de Teddy... il ne se défend pas, peu importe la situation. Si moi je me faisais expulser de ma maison, je ne me laisserais pas faire, je réagirais.

Audrey D.

L'île Madame m'a semblé réellement belle, un véritable paradis terrestre.

Isabelle Bernier

Ce qui m'a frappé le plus, c'est la « publicité » que l'on retrouve dans ce roman. À chaque fois que quelqu'un prend ou utilise un objet, on en connaît aussitôt la marque de commerce.

Éric R.

J'aurais aimé voir la réaction de Marie quand les autres se sont ligués contre Teddy pour le faire partir de l'île. L'aurait-elle défendu ou non ? J'aurais aimé avoir une réponse à cette question.

Marie-Claude D.

Je me suis vite identifiée à Teddy, reconnaissant en moi le même besoin de solitude. J'ai donc ressenti à son égard de la tendresse. Mais aussi de la colère en le regardant se laisser éjecter de son havre de paix par des étrangers. Je lui en ai aussi voulu de sa passivité en amour : pourquoi n'a-t-il pas lutté pour garder avec lui celle qu'il aime ?

Catherine C.

Ce que j'ai le plus apprécié dans le livre c'est la façon dont l'auteur s'y est pris pour inventer son histoire en utilisant les grandes marées comme signe de bouleversement.

Guillaume B.

Les dessins insérés dans le texte m'ont beaucoup plu. Ils nous donnent l'impression, en voyant ce que les personnages voient, d'être sur l'île avec eux.

Sébastien T.

On dirait que le patron utilise les habitants de l'île comme un scientifique se servirait de rats de laboratoire pour une expérience quelconque.

Sébastien R.

On est tous un peu solidaire du personnage de Teddy. Il nous est tous arrivé au moins une fois d'être rejeté par quelqu'un.

Vincent B.

J'ai aimé ce livre parce qu'on s'y trouve coupé du monde extérieur, de la civilisation.

Jasmin L.

AVEC LE PROF

RÉSUMÉ

1. Le résumé du roman s'intéresse exclusivement aux événements. Ajoutez-y des thèmes possibles pour chaque paragraphe.

AU PAYS DES *GRANDES MARÉES*

2. Qu'est-ce que Poulin semble avoir gardé de l'île Madame réelle pour construire son roman ? Qu'a-t-il « inventé » ? Pourquoi ?

3. Faites l'inventaire des lieux (habitations) dans le roman. Quel rôle peut-on attribuer à chaque « espace » ? Pouvez-vous associer chaque personnage à un lieu ? Si oui, en quoi cet espace en est-il le reflet ou le prolongement ?

4. Qu'est-ce qui motive les changements de lieux, les déménagements des personnages dans le roman ? Quel sens peut-on donner au parcours de Teddy dans l'espace ?

5. Retrouvez, dans le roman, les mentions relatives au temps et établissez une chronologie des événements. Y a-t-il des retours en arrière ? Si oui, quelle est leur ampleur, à quel personnage sont-ils associés et quel est leur rôle ?

6. À quels signes voit-on passer le temps dans *Les Grandes Marées* ? Quel effet peut avoir sur le lecteur cette façon imprécise de se repérer dans le temps ? Que peut-elle souligner ?

7. Quels éléments, quels thèmes du roman de Jacques Poulin reflètent les préoccupations sociales des années soixante-dix ? Comment le roman met-il en scène et interroge-t-il les phénomènes sociaux suivants : la libération de la femme, la solidarité, le rôle de la technologie, les conditions de travail ?

8. Cherchez, à travers chaque personnage, les signes d'une critique sociale. Le personnage a-t-il un aspect caricatural ? Illustre-t-il un travers de la société ?

9. En quoi peut-on dire que *Les Grandes Marées* est le reflet, sur le plan symbolique, de la situation politique québécoise ?

10. La société créée sur l'île Madame est-elle différente (et si oui en quoi) de la société que voulait fuir Teddy ? Quelle critique faites-vous, à partir du roman, de la vie en société ?

L'UNIVERS DES *GRANDES MARÉES*

11. Dégagez les différentes significations qu'on attribue dans la littérature à l'espace insulaire. Lesquelles conviennent aux *Grandes Marées* ? En quoi l'espace reflète-t-il ou appuie-t-il certains thèmes du roman ?

12. En quoi l'île peut-elle être vue comme une projection du personnage de Teddy ? En poussant plus loin la comparaison, à quelles parties du personnage les différents espaces de l'île correspondent-ils ?

13. Quelle signification peut-on donner au titre du roman ? À quoi fait-il référence concrètement et que peut-il signifier aussi de façon plus symbolique ?

14. Les marées symbolisent aussi l'eau. À l'aide d'un dictionnaire des symboles, montrez quelles significations a l'eau, le fleuve, dans l'univers des *Grandes Marées.*

15. Quel rôle et quelle fonction « sociale » chaque personnage joue-t-il au sein du groupe des insulaires ? Par quoi ou par qui son statut est-il établi ? Quel serait le leader du groupe ?

16. En quoi peut-on voir que le groupe est une famille ? Quelle position chacun des personnages occupe-t-il au sein de cette famille ?

17. Les habitants de l'île Madame ont-ils un but commun ? Si oui, lequel ? Quels sont les buts individuels (de chacun), en particulier celui du héros ? Sont-ils en accord avec ceux du groupe ? Qu'est-ce qui favorise ou empêche la cohésion du groupe ?

18. En quoi la forme du roman de Poulin, les personnages, la situation reflètent-ils l'univers de la bande dessinée ? Quelle image de la bande dessinée donne-t-on à travers *Les Grandes Marées* ? Que représente la bande dessinée pour Teddy ? pour le professeur Mocassin ? pour le patron ?

19. En quoi le travail de Teddy correspond-il ou non à celui des traductrices de bandes dessinées Micheline Fortier et Isabelle Marmen du *Soleil* ?

20. La bande dessinée est souvent liée à l'enfance. D'autres éléments du roman peuvent-ils être liés à cette thématique ?

LA LITTÉRATURE ET LE RESTE

21. Quels sont les différents « genres littéraires » évoqués dans *Les Grandes Marées* ? Quel rôle y jouent la littérature, les livres ?

22. À quoi servent les contes dans le roman ? Quels personnages les racontent ? Dans quel but ? Choisissez un conte raconté par un personnage et essayez d'en dégager le sens, la valeur symbolique.

23. En quoi *Les Grandes Marées* est-il un conte ? En quoi *Les Grandes Marées* est-il « allégorique » ? Faites une lecture « biblique » du roman en le comparant à la Genèse.

24. En quoi le roman *Les Grandes Marées* ou l'œuvre de Poulin respectent-ils la tradition du roman américain ? Quel point de vue est adopté ? Est-ce une observation « objective » ? À quels éléments thématiques américains peut-on rattacher *Les Grandes Marées* ? Quel serait le paradis perdu ? Comment se reflète le débat nature-culture ou nature-civilisation ?

25. Relevez des traces, dans le roman, de l'écriture minimaliste de Jacques Poulin. Faites l'analyse stylistique d'un paragraphe ou d'un chapitre.

26. Comparez deux romans de Jacques Poulin sous l'angle d'un ou plusieurs des thèmes suivants : la relation à l'autre, l'image de la femme, le rapport amoureux, l'espace, la littérature, la solitude, l'enfance.

27. Analysez la figure de Théo, ses composantes, son évolution, sa signification dans les trois romans de Poulin où on le retrouve (*Faites de beaux rêves, Les Grandes Marées, Volkswagen Blues*).

28. Analysez le motif du triangle amoureux chez Poulin (dans des romans tels que *Mon cheval pour un royaume, Le Cœur de la baleine bleue, Faites de beaux rêves, La Tournée d'automne*).

29. Analysez le rôle, la symbolique de certains motifs propres à l'univers de Poulin : le Volkswagen, le sac de couchage, le chat, le livre.

Remarque : L'œuvre de Poulin, et tout particulièrement *Les Grandes Marées,* accorde une grande place au thème de la relation, du contact avec l'Autre. Il est donc tout à fait pertinent d'observer le roman sous l'angle de la théorie de la communication. La façon dont les personnages entrent en contact et se parlent illustre à merveille les différents problèmes liés à la communication : le schéma de la communication se révèle même un bon outil pour faire voir les facteurs qui perturbent une communication efficace entre les personnages.

30. Suggestions de romans québécois à comparer avec *Les Grandes Marées* :
    L'Hiver de force de Réjean Ducharme (et autres œuvres de Ducharme)
    L'Emmitouflé de Louis Caron
    La grosse femme d'à côté est enceinte de Michel Tremblay
    Salut Galarneau ! de Jacques Godbout
    La Rage de Louis Hamelin

31. Quels rôles les livres jouent-ils dans la vie des personnages des *Grandes Marées* ? Essayez d'associer chaque personnage à au moins un livre et expliquez en quoi il le reflète.

32. Essayez d'établir des liens entre *Les Grandes Marées* ou l'écriture de Jacques Poulin et chacun des livres ou des auteurs présentés dans cette section.

DISSERTATIONS

33. À travers son roman, Jacques Poulin propose une critique de la société qui passe par l'humour et la douceur. Commentez.

34. Montrez que l'incapacité d'appartenir à la société, chez le personnage principal, s'explique ou

se reconnaît par le monde de l'enfance qui l'entoure.

35. Montrez que l'île, comme espace et comme symbole, représente ou reflète toute la thématique des *Grandes Marées*.

36. « L'enfer c'est les autres », disait Sartre. Diriez-vous que *Les Grandes Marées* en est l'illustration ?

37. « Teddy et Marie réalisent d'un même mouvement l'égalité et la liberté », dit Réginald Martel. Justifiez cette assertion en comparant ces deux personnages avec le reste du groupe.

38. *Les Grandes Marées* est-il un roman réaliste ou un conte philosophique ?

39. Selon la théorie de l'Auteur (personnage) au chapitre 36 du roman, *Les Grandes Marées* est-il dans la lignée des romans français, américains ou québécois ?

40. Comparez le roman de Bradbury, *Fahrenheit 451*, avec *Les Grandes Marées* de Jacques Poulin sur le plan du rôle de la littérature et des livres.

41. Faites une comparaison entre *Le Berceau du chat* de Vonnegut et *Les Grandes Marées* de Jacques Poulin, deux romans qui ont pour cadre l'espace insulaire.

TRAVAUX PRATIQUES

42. Créez une maquette de l'île Madame telle qu'elle apparaît dans le roman.

43. Créez une adaptation du roman en vue d'une représentation théâtrale (*Les Grandes Marées* a d'ailleurs été adapté pour l'écran en 1981). Ce projet se divise en plusieurs sous-projets : l'adaptation

du texte ; la scénographie et la mise en scène ; la création des costumes, des décors ; le jeu.

LES GRANDES MARÉES PEUT AUSSI INSPIRER DES TRAVAUX DE RECHERCHE, DES SUJETS D'EXPOSÉS.

Sciences de la nature

L'environnement, la forêt, les chats, les oiseaux, les marées, la flore, les fonds marins.

Technologie

Le lanceur de balles automatique, le téléscripteur, les communications radio, l'hélicoptère.

Sciences de la santé

Les problèmes auditifs, la scoliose, le tennis, la nage, le massage.

Géographie-histoire

L'île, les îles du Saint-Laurent, les cartes topographiques, la navigation dans le Saint-Laurent, la décennie soixante-dix, l'histoire de l'archipel de l'Île-aux-Grues.

Sciences sociales

La dynamique de groupe, l'écholalie, les troubles socio-affectifs, les rapports aux autres, la communication non verbale, la lecture ralentie.

Philosophie

Le concept de bonheur, de paradis perdu, l'opposition nature-culture, le concept d'autrui, le contrat social (société), l'utopie.

Langues et littérature

La traduction, les dictionnaires, l'étude des différents auteurs mentionnés dans le roman, la littérature américaine, l'utopie comme genre, le fantastique, le conte, la bande dessinée.

ORIENTATION BIBLIOGRAPHIQUE

ŒUVRE DE JACQUES POULIN

Mon cheval pour un royaume, Montréal, Éditions du Jour, 1967 ; [Leméac éditeur, 1987].

Jimmy, Montréal, Éditions du Jour, 1969 ; [Babel, 1999].

Le Cœur de la baleine bleue, Montréal, Éditions du Jour, 1970 ; [Leméac éditeur, 1987].

Faites de beaux rêves, Montréal, l'Actuelle, 1974 ; [Bibliothèque québécoise, 1988].

Les Grandes Marées, Montréal, Leméac, 1978 ; [Babel, 1995].

The « Jimmy » Trilogy [*My Horse for a Kingdom ; Jimmy ; The Heart of the Blue Whale*] Toronto, Anansi, 1979.

Volkswagen blues, Montréal, Québec/Amérique, 1984, (Littérature d'Amérique) ; [Babel, 1999].

Spring Tides, Toronto, Anansi, 1986.

Volkswagen Blues, Toronto, McClelland and Stewart, 1988.

Le Vieux Chagrin, Montréal, Leméac/Actes Sud, 1989 ; [Babel, 1995].

Mr Blue, Vehicule Press, 1993.

La Tournée d'automne, Montréal, Leméac éditeur, 1993 ; [Babel, 1996].

Chat sauvage, Montréal, Leméac/Actes Sud, 1998 ; [Babel, 2000].

SUR *LES GRANDES MARÉES*

Réception critique des Grandes Marées

ABLEY, Mark, « Trouble in Paradise : Review of *Spring Tides* », *Maclean's*, 1er septembre 1986, p. 56.

ADACHI, Ken, « Quebec Fiction : A Lively Book and a Bleak One : Review of *Spring Tides* and *Standing Flight* », *Toronto Star*, 10 août 1986, p. A-19.

ANDREWS, Audrey, « Tender Fable Reveals Man's Loneliness : Review of *Spring Tides* », *Calgary Herald*, 21 septembre 1986, p. C8.

DORION, Gilles, « *Les Grandes Marées* », *Québec français*, octobre 1978, p. 6.

FISCHMAN, Sheila, « Teddy Bear, Translator », *The Montreal Star*, 1er avril 1978, p. D-3.

FRENCH, William, « Quebec Changes : Reviews of *Spring Tides* and *The Legagy* », *The Globe and Mail*, 26 juillet 1986, p. D-15.

GAUVIN, Lise, « Une voix discrète », *Le Devoir*, 29 avril 1978, p. 33.

GODBOUT, Jacques, « Livres. L'école de la tendresse », *L'Actualité*, vol. III, n° 8, août 1978, p. 55.

MARTEL, Réginald, « Un très beau livre qui reste ouvert », *La Presse*, 13 mai 1978, p. D-3.

NACHTSHEIM, M. H., « *Spring Tides* », *Choice*, vol. XXIV, février 1987, p. 889.

NOLIN, Jacques, « *Les Grandes Marées* », *Nos livres*, vol. IX, juin-juillet 1978, n° 250.

OUELLETTE, Gabriel-Pierre, « Jacques Poulin : *Les Grandes Marées* », *Livres et auteurs québécois*, 1978, p. 71-74.

OUELLETTE-MICHALSKA, Madeleine, « Livres. Entre les lignes, les deux solitudes », *Châtelaine*, vol. XIX, n° 8, août 1978, p. 16.

POULIN, Gabrielle, « *Les Grandes Marées* de Jacques Poulin ou la Genèse en... bandes dessinées », *Relations*, n° 437, mai 1978, p. 154-156.

QUIGLEY, Theresa, « A Crowded Eden », *The Fiddlehead*, n° 153, automne 1987, p. 102-103.

RAFELMAN, Rachel, « *Spring Tides* », *Quill & Quire*, vol. LII, octobre 1986, p. 46.

RENAUD, André, « Jacques Poulin, *Les Grandes Marées* », *Voix & images*, vol. V, n° 2, automne 1979, p. 193-195.

RICARD, François, « Jacques Poulin : Charlie Brown dans la Bible », *Liberté*, vol. XX, n° 3, mai-juin 1978, p. 85-88.

ROYER, Jean, « Jacques Poulin, romancier artisan », *Le Devoir*, 29 avril 1978, p. 33.

SPETTIGUE, D. O., « *Spring Tides* ; Jacques Poulin ; Book Review », *Queen's Quarterly*, vol. XCIV, n° 2, été 1987, p. 366-375.

URBAS, Jeanette, « A Teddy Bear's Tale », *Canadian Forum*, vol. LXVI, n° 765, janvier 1987, p. 39.

URQUART, John, « Comic Strips. *Spring Tides* by Jacques Poulin : Book Review », *Canadian Literature*, n° 116, printemps 1988, p. 129-131.

WILLIAMSON, David, « Gentle Fable of a Lost Eden : Review of *Spring Tides* », *Winnipeg Free Press*, 9 août 1986, p. 50.

Revues qui ont consacré un dossier à Jacques Poulin

Lettres québécoises, numéro 83, automne 1996.

Nuit blanche, numéro 36, septembre-novembre 1991.

Voix & images, numéro 43, printemps 1989.

Études françaises, vol. XXI, n° 3, hiver 1985-86.

Nord, numéro 2, hiver 1972.

Monographies

FONTAINE, Lise, *Les Grandes Marées. Jacques Poulin*, Montréal, Éditions Hurtubise HMH, 1997, coll. « Texto ».

HÉBERT, Pierre, *Jacques Poulin : la création d'un espace amoureux*, Ottawa, Presses de l'Université d'Ottawa, 1997, coll. « Œuvres et auteurs ».

MIRAGLIA, Anne-Marie, *L'Écriture de l'Autre chez Jacques Poulin*, Longueuil, les Éditions Balzac, 1993, coll. « L'univers des discours ».

SOCKEN, Paul, *The Myth of the Lost Paradise in the Novels of Jacques Poulin*, Associated University Presses, London et Toronto, 1993.

Bibliographie générale

Le Nouveau Petit Robert, [sous la direction de Josette Rey-Debove et Alain Rey], Paris, Dictionnaires le Robert, 1993, pages 1353, 1992 et 1996.

Le Nouveau Dictionnaire des œuvres de tous les temps et de tous les pays, Robert Laffont/Bompiani, 1994.

Histoire générale du Canada (sous la direction de Craig Brown, édition française sous la direction de Paul-André Linteau), Montréal, Éditions du Boréal, 1990.

Mémoires du XXe siècle. 1970-1979 (préface de Serge Berstein), SGED Encyclopédies, Bordas, 1989.

L'Île, territoire mythique, études rassemblées par François Moureau, Aux Amateurs de Livres, Paris, 1989, coll. « Littérature des voyage ».

Dictionnaire historique, thématique et technique des littératures (littératures française et étrangères, anciennes et modernes) (sous la direction de Jacques DEMOUGIN), Paris, Librairie Larousse, 1985.

Dictionnaire des auteurs de tous les temps et de tous les pays, Paris, Laffont, 1980.

Atlas de la mer (préface du Commandant J-Y. Cousteau), Dr. W. Nierenberg, Éditions Robert Laffont, 1978.

ADLER, Ronald et TOWNE, Neil, *Communications et interactions 2e édition)* (traduction : Élizabeth Dumont et Lise Malo, adaptation : Annie Devault, Luce Marinier et Martine Thibault), Laval, Éditions Études Vivantes, 1998.

BRADBURY, Ray, *Fahrenheit 451*, (nouvelles traduites de l'américain par Henri Robillot), Denoël, 1981, coll. « Présence du futur », p. 179.

BRAUTIGAN, Richard, *Un privé à Babylone.* (traduit de l'américain par Marc CHÉNETIER), Christian Bourgois éditeur, 1992, coll . « 10/18 », p. 22.

CROTEAU, André, *Les îles du Saint-Laurent*, Saint-Laurent, Éditions du Trécarré, 1995.

GERGEN, Kenneth, GERGEN, Mary et JUTRAS, Sylvie (avec la collaboration de Claude HAMEL), *Psychologie sociale*, 2e édition, Laval, Éditions Études Vivantes, 1992.

HAMILTON, Edith, *La Mythologie*, Verviers, Éditions Marabout, 1978, coll. « Marabout université ».

HEMINGWAY, Ernest, *Les Neiges du Kilimandjaro*, (traduit de l'anglais par Marcel Duhamel), Paris, Gallimard, 1976, coll. « Folio ».

LANGLOIS, Georges, *Histoire du 20e siècle* (avec la collaboration de Jean Boismenu, Luc Lefebvre et Patrice Régimbald), Laval, Éditions Beauchemin, 1994.

LEIFFET, Bernard, *Navigation côtière au Canada*, Éditions du Trécarré, 1989.

MOLITERNI, Claude, MELLOT, Philippe et DENNI, Michel, *Les Aventures de la BD.*, Paris, Éditions Gallimard, 1996, coll. « Découvertes ».

POTVIN, Damase, *Le St-Laurent et ses îles (Histoire, légendes, anecdotes, descriptions, topographie)*, Québec, Éditions Garneau, 1945.

SAPORTA, Marc, *Histoire du roman américain*, Paris, Gallimard, 1976, coll. « Idées ».

VAN GOGH, Vincent, *Lettres à son frère Théo*, (traduit du néerlandais par Louis Roëdlandt), Paris, Gallimard, 1988, coll. « L'imaginaire », 434 p.

VONNEGUT, Kurt Jr., *Le Berceau du chat*, (traduit de l'américain par Jacques B. Hess), Paris, Éditions J'ai lu, 1974.

Remerciements à :

Monsieur François Lachance, capitaine du *Lachance III* des Croisières Lachance à Berthier-sur-Mer ; la Société du port de Québec, la compagnie Héli-Express de l'aéroport de Québec ; Louis-Guy Lemieux, journaliste au *Soleil* ; Jean-François Berton, professeur de sciences physiques au collège de Limoilou ; Jean-Pierre Boisvert, professeur de psychologie au collège de Limoilou ; Luc Roland-Brunard, professeur de littérature au collège de Limoilou.

Merci spécialement à Alain Rathé, pour son soutien constant et son œil critique.

SOMMAIRE

OUVRAGE RÉALISÉ PAR
LUC JACQUES, TYPOGRAPHE
ACHEVÉ D'IMPRIMER
EN JUILLET 2000
SUR LES PRESSES DE
MARC VEILLEUX IMPRIMEUR
BOUCHERVILLE (QUÉBEC)
POUR LE COMPTE
DE LEMÉAC ÉDITEUR
MONTRÉAL

DÉPÔT LÉGAL
1re ÉDITION : 3e TRIMESTRE 2000
(ÉD. 01/IMP. 01)